April 25
Imodium AD

↓

May 9 diahrrea - mild
May 12-19 constipated
May 19- started on

high stomach nausea
mild, sharp cramping

sweaty
v. low energy level

Terror en Winnipeg

Eric Wilson

ediciones **sm** Joaquín Turina 39 28044 Madrid

Colección dirigida por **Marinella Terzi**

Primera edición: diciembre 1982
Decimonovena edición: octubre 1998

Traducción: *Pedro Barbadillo*
Ilustraciones: *Gawin Rowe*
Cubierta: *Nino Velasco*

Título original: *Terror en Winnipeg*
  (Publicado en Inglaterra por The Bodley Head Ltd., 1979)
© Eric Hamilton Wilson, 1979
© The Bodley Head, 1979
© Ediciones SM, 1982
  Joaquín Turina, 39 - 28044 Madrid

Comercializa: CESMA, SA - Aguacate, 43 - 28044 Madrid

ISBN: 84-348-1137-5
Depósito legal: M-31322-1998
Fotocomposición: Secomp
Impreso en España/Printed in Spain
Imprenta SM - Joaquín Turina, 39 - 28044 Madrid

A Elizabeth

1

UN PERRO furioso se abalanzó sobre Tom.

—¡No! —gritó, dando un rodeo.

Con un golpe metálico, la cadena unida al collar detuvo al perro. Temiendo que la cadena no resistiera, Tom se dirigió nervioso hacia una arboleda donde le esperaba sentada su amiga Dianne, que le sonrió.

—Ya he oído ladrar al perro. Veo que has vuelto a fracasar.

Tom se encogió de hombros.

—Algún día atravesaré sin ser visto vuestro sistema de seguridad.

—Lo dudo. Papá tiene guardas y perros por toda la finca. No puede pasar nadie.

—Yo puedo hacerlo.

Arrodillándose en el suelo, Tom se sirvió de una ramita para esbozar un nuevo plan que permitiera eludir el sistema de seguridad.

9

Mientras tanto se acercó silenciosamente un hombre.

—Tiene que irse dentro, señorita Dorchester.

Dianne suspiró.

—Esto de tener guardaespaldas es como estar en la cárcel.

—Puede que sí —dijo Tom—, pero resulta emocionante venir de visita, con todo este sistema de seguridad.

Dianne sacudió su cabellera rubia.

—No me gusta nada tener guardaespaldas, Tom, pero me imagino que estarán sólo hasta que la policía capture a esos terroristas de DEMON que han amenazado con raptarme.

—DEMON amenazó a tu padre para obligarle a cerrar las fábricas que, según ellos, están contaminando el medio ambiente. ¿Por qué no las cierra?

—¡Ni hablar! Papá piensa que lo que los terroristas quieren es destruir las Industrias Dorchester, y lo que menos les importa es proteger el medio ambiente. Dice que nunca dará su brazo a torcer.

Siguieron al guardaespaldas por el bosquecillo y luego salieron a una sinuosa calzada.

Cerca había un muro de ladrillo. Un guarda vigilaba la pesada puerta de madera que daba acceso a la finca.

El guarda hizo un gesto al guardaespaldas para que se acercara y abrió un ventanuco de la puerta. Miraron fuera y parecían preocupados. Tom se acercó para escuchar lo que hablaban.

—El Ayuntamiento siempre nos avisa cuando mandan trabajadores —dijo uno de ellos.

El otro asintió.

—Cuando llegue a casa, llamaré por teléfono al Ayuntamiento. Hay algo que no me gusta.

Desde el otro lado de la puerta llegaba el ruido de las máquinas y Tom pudo ver algunos hombres en traje de faena, excavando en la carretera.

—¿Qué sucede? —preguntó, al tiempo que el guardaespaldas de Dianne reemprendía la marcha.

—Nada —dijo el hombre, aunque parecía preocupado.

Pasado un recodo encontraron una casa impresionante con muros de piedra. Al acercarse a ella, los enfocó una cámara de televisión y un guarda abrió la puerta.

Una vez dentro, los dejaron los guardas y Tom se dirigió a Dianne.

—¿Ha instalado tu padre algún nuevo dispositivo de seguridad desde la última vez que estuve aquí?

Ella asintió y le llevó hasta la puerta de un gran salón.

—¿Notas algo?

Tom recorrió con la vista el salón, pero sólo vio muebles antiguos y cuadros al óleo con marcos dorados.

—No, nada especial.

12

—Se trata de un detector ultrasónico que emite ondas de alta frecuencia. Si alguien entra en el salón, interfiere las ondas y pone en marcha la alarma.

—¡Fantástico! —dijo Tom, apuntándolo en su cuaderno de notas—. Tu padre se adelanta siempre a los malhechores.

—Esperemos que así sea.

Salieron del vestíbulo y se dirigieron hacia una sala donde los esperaba un refrigerio; Dianne sirvió dos vasos de leche, mientras Tom centraba su atención en un gran trozo de tarta de chocolate.

—Escucha, Dianne. He decidido poner de nuevo a prueba vuestro sistema de seguridad.

—¿Qué vas a hacer ahora?

Tom observó las estanterías repletas de libros encuadernados en piel.

—¿Tendrán chinches esos libros?

Dianne se echó a reír.

—A lo sumo habrá termitas.

Tom bajó el tono de voz.

—Se supone que los guardas vigilan cuando tú estás en el jardín, ¿no?

Dianne asintió.

—Y cuando sales de la finca, llevas un guardaespaldas.

—Así es.

—Mi plan consiste en llevarte por el jardín y salir de la finca sin que los guardas se den cuenta. Sólo para demostrar que el sistema de seguridad no es tan perfecto como tu padre cree.

—¿Y cómo lo vas a hacer?

Tom sonrió.

—Dame otro trozo de tarta para coger fuerzas y luego te demostraré el contrasistema de Tom Austen.

Mientras Dianne partía el trozo de tarta, Tom se fijó en la colección de espadas antiguas del señor Dorchester.

—Eso debe valer una fortuna. No me extraña que DEMON llame a tu padre capitalista.

Dianne le miró enfadada.

—¿Quieres que te tire la tarta a la cara?

—No te enfades. Yo pienso que tu padre es un tipo inteligente.

—¡Es una persona fabulosa! Además, las Industrias Dorchester dan trabajo a mucha gente, no sólo aquí en Winnipeg, sino en todo Manitoba. ¿Qué hay de malo en ello?

Tom se encogió de hombros.

—Pienso que nada, pero escuché a alguien

14

en la televisión que decía que la gente no quería trabajar en las fábricas porque estaban contaminando el medio ambiente. Por eso puso DEMON una bomba en la fábrica de White River, para obligar a tu padre a cerrarla.

—Aquella bomba estuvo a punto de matar a mucha gente. Papá dice que eso demuestra que a los terroristas sólo les preocupa hundir las Industrias Dorchester.

—Eso creo —Tom quitó con cuidado la capa de azúcar de la tarta para comérsela primero—. ¿Quién es ése del cuadro? —preguntó con la boca llena.

Dianne miró el cuadro que representaba a un joven de pelo rubio y ojos azules.

—Es mi hermanastro Powell. Mis padres tuvieron una fuerte discusión sobre si colgarlo o guardarlo en el trastero.

—¿Por qué?

—Papá está aún enfadado con Powell porque le dijo que debería cerrar sus fábricas antes de que acabasen con Manitoba. Hubo unas escenas violentas y Powell se marchó de casa.

—¿Dónde vive ahora?

—Nadie lo sabe. Desapareció y no creo que papá haga nada por saber dónde está.

—¿Por qué?

—Papá tenía una piel de tigre frente a la chimenea, y Powell la hizo trizas la noche en que se marchó.

—Eso no estuvo bien.

Dianne se puso en pie.

—Vamos a comprobar tu plan antes de que cambies de idea. Ten presente que los guardas se enfadarán si nos ven.

—¡Imposible!

Dejaron el cuarto y salieron al vestíbulo, cubierto de espesas alfombras, y se detuvieron junto a la puerta del salón de los muebles antiguos. Sobre los cuadros al óleo lucían unos pequeños focos de luz. Tom estudió la habitación.

—¿Está cerrada aquella puerta que da al patio?

—Sí. Puedes ver la llave en la cerradura.

—Por ahí es por donde saldremos de la casa. Es la única puerta que no necesita vigilante, a causa del sistema ultrasónico de esta habitación.

—¡Espera un momento! ¿Qué pasará cuando suene la alarma?

16

—No te preocupes. Saldremos mucho antes de que los guardas lleguen aquí.

Dianne le miró indecisa, pero Tom estaba convencido de que su plan no podía fallar. Echó un vistazo al vestíbulo para comprobar que no había ningún guarda, y luego, llenando de aire los pulmones, tomó a Dianne por la mano y se lanzó corriendo con ella por la habitación.

El ruido de la alarma atronó toda la casa.

2

EL AGUDO sonido de la alarma rompió el silencio, seguido a continuación por el de una sirena. Un perro ladró en alguna parte y alguien gritó. Tom y Dianne llegaron a la puerta del patio; Tom giró la llave y salieron afuera.

La sirena avisaba desde lo alto del muro, y los guardas se llamaban unos a otros, al tiempo que salían de entre los árboles y se dirigían corriendo hacia la casa.

—¡Por aquí! —gritó Tom a Dianne.

Cruzaron velozmente el patio, saltaron una valla baja y cayeron sobre un macizo de flores. Llegaron a una arboleda y se detuvieron para tomar aliento.

—¡Idiota! —dijo Dianne—. ¿Qué es lo que has hecho?

Tom miró horrorizado hacia la casa, en el

momento en que salía un guarda al patio; éste hizo gestos a un hombre que había en el camino para que se acercara, y después entró de nuevo en la casa.

—No esperaba todo esto —dijo avergonzado.

—¡Papá se va a poner furioso!

Se adentraron por entre los árboles, cerca del camino, en busca de la puerta. Tom estaba seguro de que el agudo sonido de la alarma, que se oía por toda la finca, haría que el guarda de la puerta se alejara, con lo que podrían salir a la calle sin ser vistos.

Pero estaba equivocado. El hombre permanecía en su sitio, paseando sin cesar ante la puerta, preocupado lógicamente por el sonido de la sirena, pero sin abandonar su puesto.

—¡Demonios! —murmuró Tom, deteniéndose tras un árbol—. Debería haberse ido.

—¿Y ahora qué, tío listo?

—Ya hablaremos luego. Tenemos que llegar a la calle para demostrar que el sistema de seguridad tiene más agujeros que un queso suizo.

—Tu cabeza sí que tiene agujeros. No debía haberte consentido esta locura.

—¡No puedo fallar!

20

Con una sonrisa radiante, Tom se dirigió hacia el guarda.

—¡Hola! —dijo tratando de parecer jovial—. ¿Qué sucede?

El hombre los miró, desconfiado.

—¿Qué está usted haciendo aquí, señorita Dorchester? Debería estar dentro de la casa.

Dianne murmuró una respuesta y dio una patada a la gravilla del camino.

—No se preocupe —dijo Tom amistosamente—. Hemos quedado en vernos con uno de nuestros profesores, en la calle. Nos trae

21

un trabajo para hacer en casa, (así que) por favor, abra la puerta.

—¡Ni hablar! —dijo el hombre, negando con la cabeza—. Nadie...

En ese momento se oyó el estruendo de una explosión que destrozó la puerta. La pesada mole de madera saltó de cuajo y cayó al suelo; al mismo tiempo, Tom y los demás fueron lanzados hacia atrás por la fuerza de la explosión.

Medio inconsciente, Tom observó asombrado a los hombres que entraban, corriendo y en silencio, por el hueco donde había estado antes la puerta. Eran los mismos trabajadores que antes habían visto a través del ventanuco de la puerta.

Aún llevaban los cascos donde se leía: *Winnipeg Road Works*, pero ocultaban sus rostros con gafas de esquiar e iban armados.

—¡Ahí está la chica! —gritó uno de ellos.

—¡Cógela! —dijo otro hombre apuntando al guarda con el arma—. Y tú no te muevas.

Se volvió hacia Tom. Por un momento sus ojos le miraron amenazadoramente a través de las rendijas de las gafas de esquiar. Luego, levantó un brazo y dijo:

—Llévate también a este chico.

22

Se acercó corriendo un hombre, que cogió a Tom por el pelo y lo empujó hacia la calle. Tom trató de soltarse, pero se hacía tanto daño que no tuvo más remedio que seguirle dando traspiés.

Tenía la nariz llena del olor del explosivo; unas manos fuertes lo levantaron y lo echaron al suelo metálico de una furgoneta. Se cerró la puerta, se oyó el ruido del motor en marcha, y el suelo comenzó a vibrar.

Abrió los ojos y vio la cabeza rubia de Dianne. Junto a ella, había dos hombres enmascarados sentados en un banco.

—Cierra los ojos —le ordenó uno de ellos.

Tom obedeció. Trató de memorizar las curvas y las paradas de la furgoneta, pero pronto perdió la noción del trayecto seguido.

—Lee se va a enfadar —dijo uno de los hombres.

—¿Por qué? —contestó el otro.

—No teníamos previsto hacer saltar la puerta hasta las cinco, cuando los guardas se relevan.

—Ya oíste la alarma. Pensé que nos habían descubierto y decidí que no podíamos esperar más.

—A Lee no le va a gustar.

—Tenemos a la chica, ¿no?

—Y además un chico. Eso no formaba parte del plan.

—Escucha. Aquí mando yo. No me gusta que discutan mis decisiones.

Tom grabó en su mente lo que acababa de escuchar. *Lee, a las cinco, relevo de los guardas.* De una forma u otra debía dar esta información a la policía.

—¿Dónde nos reuniremos con Lee?

—En el refugio del río.

—¿Y no cuando cambiemos de vehículo?

—Por supuesto que no. De todas formas, ¿qué importa eso?

—El jefe es quien decide; no tú, que no eres más que un principiante.

Se oyó una exclamación de enfado y Tom confió en que se organizara una pelea, para intentar escapar con Dianne en medio de la confusión. Pero ahí acabó todo; mientras, la furgoneta daba vueltas por las calles de la ciudad.

Sin previo aviso pisaron el freno y la furgoneta chirrió hasta que se detuvo. Tom oyó el ruido de las puertas y unas voces; luego, le bajaron sin miramientos.

24

—Ve allí —le dijo uno de los hombres, señalando otra furgoneta.

Deslumbrado por la luz del sol, Tom vio muchos coches viejos amontonados por todas partes. Dirigió la mirada hacia Dianne que se incorporaba lentamente y se dirigió hacia la segunda furgoneta; el motor estaba en marcha y un hombre estaba abriendo la puerta trasera.

De repente, Tom echó a correr.

El hombre que estaba junto a la furgoneta se volvió desconcertado cuando Tom pasó corriendo cerca de él, en dirección a los coches abandonados. Sus pies resbalaban en la gravilla y casi se dio contra un coche; oyó gritos encolerizados al tiempo que corría desesperadamente por un pasillo que había entre los montones de chatarra oxidada.

Una vieja cerca de madera grisácea le cerraba el paso. Vio un estrecho espacio entre dos coches, se introdujo por él y salió por la puerta abierta de un autobús destrozado.

Faltaban los asientos y sólo se veían sus contornos pintados en el suelo. Miró a través de una ventana que tenía los cristales rotos, tratando de encontrar un lugar más seguro donde esconderse, pero oyó voces y se agachó. Se arrastró hacia la pared del autobús, intentando calmar los fuertes latidos del corazón.

—¿Lo has cogido? —oyó que preguntaba uno de los hombres.

—Si lo hubiera cogido no estaría buscándolo.

—Puede estar en cualquier lado. Vayámonos de aquí.

—¿Y le dejamos que se escape?

—Cuando encuentren la furgoneta tenemos que estar lejos de aquí. No hay tiempo para seguir buscándolo. De todas formas no puede identificarnos.

Una ligera brisa se coló por las destrozadas ventanillas del autobús, levantando una polvareda en la que flotaban papeles viejos describiendo círculos. Sobre la cabeza de Tom, un póster descolorido decía: *La felicidad consiste en cenar un buen filete;* una mosca zumbó a su alrededor, ascendió hacia los rayos del sol y desapareció.

Tom permaneció donde estaba, temeroso de que los hombres hubieran simulado abandonar su búsqueda. Al poco rato sus múscu-

los no pudieron resistir más la tensión y se
incorporó con cuidado.

Todo estaba en silencio, pero Tom esperó
un largo rato antes de salir del autobús.
Cuando finalmente se convenció de que estaba a salvo, empezó a darse cuenta de las
cosas tan horribles que habían sucedido.

Dianne había sido secuestrada y él tenía,
en parte, la culpa. Había colaborado involun-
tariamente con los secuestradores, trastocan-
do el sistema de alarma de la finca, y ahora
Dianne corría un serio peligro. ¡Qué estupi-
dez había cometido!

Sintiéndose terriblemente culpable, Tom
evocó el rostro de Dianne.

—Te encontraré —prometió en voz alta.

El eco devolvió sus palabras:

Te encontraré.

3

AL DÍA siguiente, al terminar la escuela, Tom se dirigió hacia el río con su compañero de clase, Dietmar Oban. Resguardados tras un bote de remos volcado, observaron una fila de barcazas, transformadas en viviendas, que se extendían a lo largo de la orilla.

—¡Agáchate! —murmuró Tom—. Si nos ven, los terroristas nos abatirán con sus metralletas.

Dietmar se rió entre dientes.

—Tú y tus absurdas teorías, Austen. Has leído demasiadas novelas policíacas.

En la furgoneta, los secuestradores dijeron que se encontrarían con su jefe «en el refugio del río».

—¿Y qué? Eso puede estar en cualquier parte.

Tom movió la cabeza.

—Esas barcazas constituyen un escondrijo perfecto y DEMON podría fácilmente tener prisionera a Dianne en una de ellas.

—¿Cómo sabes que es DEMON el que ha secuestrado a Dianne? Puede haber sido cualquier otro.

—Sí, pero DEMON había mandado una carta al señor Dorchester, amenazándole con raptar a Dianne. Estoy seguro de que han sido ellos. Me apuesto lo que sea.

Dietmar se rió.

—¿Les has explicado a los policías tu brillante teoría?

—Intenté exponerles mis ideas, pero ni siquiera me escucharon. Estaban furiosos conmigo por haber hecho sonar la alarma, porque creen que la confusión facilitó el trabajo a los secuestradores.

—Apuesto a que tu padre estará enfadadísimo. ¡Imagínate! ¡Ocupar un cargo importante en la policía y tener un hijo como tú!

Sin querer manifestar lo culpable que se sentía, Tom miró con desprecio a Dietmar.

—¡Cuidado con lo que dices! De todas formas, mi padre está fuera, dando un curso en una academia de policías, en el Este. Esperemos que Dianne esté a salvo antes de

30

que vuelva, porque, si no, me arrancará el
cuero cabelludo.

—No creo que la policía tarde mucho en
encontrarla. Oí en la radio que habían descubierto huellas digitales muy claras en la
furgoneta de los secuestradores.

—¡Eh! —dijo Tom—. ¿Ves aquello?

—¿Qué?

—Mira la ventana de aquella barcaza.
Hay un póster que dice: *Muera Dorchester*.

—¿Y qué?

—Pues que el padre de Dianne es el dueño
de las Industrias Dorchester. Es la persona a

la que han amenazado los terroristas de DEMON, así que aquella barcaza podría ser su escondrijo.

—Tu cerebro no funciona, Austen.

—Tengo un plan.

—¿Qué se le ha ocurrido ahora al inteligente muchacho?

—¿Ves ese cubo de basura en la puerta trasera de la barcaza? Leí en un manual de policía que se pueden encontrar pistas valiosas rebuscando en la basura.

Dietmar se echó a reír.

—¿Quieres basura? Pues empieza con tus teorías.

—¡Manos a la obra!

Tom observó detenidamente la barcaza y luego se encaminó hacia ella. Cogió el cubo de la basura y vertió su contenido en el suelo.

—Qué mezcla más variada —dijo, examinando latas vacías de *garbanzos, sémola, higos secos*—. Sólo hay alimentos extraños, excepto este tubo de tinte rojo para el pelo. Aquí hay algo raro, ¿no te parece?

Dietmar no contestó.

—Estoy seguro de que esto tiene algo que ver con DEMON —dijo Tom, mientras esparcía las latas por el suelo—. ¿Tú qué crees?

Tom se volvió enfadado al no obtener de nuevo ninguna respuesta. Dietmar miraba a un hombre que estaba de pie en el porche de la barcaza, con las manos en la cadera.

—¿Qué estás haciendo, jovencito?

—¡Ah! —dijo Tom, enrojeciendo—. Yo... bueno...

—Recoge eso.

—Sí, señor —Tom cogió algunas de las latas y miró a Dietmar—. Vamos, échame una mano.

Dietmar movió la cabeza.

—Tú eres el gran detective. Tú has sacado todo eso, así que recógelo tú.

El hombre del porche miró sorprendido.

—¿Un detective?

Dietmar asintió.

—Cree que esta barcaza es un...

—¡Cierra el pico, Dietmar!

—¿Un qué? —preguntó el hombre.

Dietmar iba a responder, pero se quedó callado ante el gesto amenazador de Tom. El hombre observó sus rostros, pero no dijo nada hasta que Tom terminó de recoger la basura.

—Me llamo Kaufman. Entrad.

Tom se limpió cuidadosamente sus dedos

pringosos en los vaqueros, mientras miraba al señor Kaufman. Su pelo grisáceo resultaba demasiado largo para su edad; unas llamativas gafas no conseguían que pareciera más joven, y su camisa sólo podía llevarla un muchacho. Era evidente que tenía algo sospechoso, y Tom decidió seguir indagando.

—De acuerdo —dijo Tom, asintiendo secamente—. Entraremos, pero sólo un minuto.

—Bien, bien.

Resultaba evidente que a Dietmar no le gustaba la idea, y casi se cayó al tropezar con un escalón; Tom lo sujetó fuertemente por el brazo mientras subían la escalerilla de acceso al porche.

En la puerta llegó hasta ellos un olor fuerte, que hizo toser a Tom.

—¿Qué es eso?

—Estoy preparando sopa de flor de vainilla para cenar. ¿Queréis acompañarme?

Tom movió la cabeza, extrañado del lugar donde estaban. Por todas partes había plantas, cuyos zarcillos trepaban por las paredes y bordeaban un ventanal que daba al río. Había algunos letreros como: *No fumar* o *Me gustan las ballenas*, y una estantería repleta

34

de guías de todo el mundo y de libros de cocina sobre alimentos naturales.

No se veía el póster que decía: *Muera Dorchester*, pero quizá se ocultaba detrás de una puerta cerrada que había en la pared opuesta a ellos. Decidido a averiguar lo que se escondía tras la puerta, Tom se dirigió hacia ella con aire inocente.

—¿Tenéis hambre, chicos? —preguntó el señor Kaufman.

Tom asintió, tratando de ganar tiempo para llegar hasta la puerta.

—Sí, claro. Tomaremos algo.

—¿Qué os parece un bollo de germen de trigo?

Nunca habían oído semejante nombre de comida, pero Tom no quería levantar sospechas.

—¡Estupendo!

—Yo no —dijo Dietmar—. Prefiero un trozo de tarta o un poco de chocolate.

—No tengo —el señor Kaufman se dirigió a la cocina—. Prueba un poco de requesón de soja.

Dietmar pareció ponerse enfermo. Se volvió a Tom y murmuró un desesperado «vámonos», pero no obtuvo respuesta; Tom estaba demasiado ocupado con el pomo de la puerta.

Estaba cerrada con llave.

Giró el pomo y se volvió con cara inocente en el momento en que el señor Kaufman regresaba con una bandeja de comida.

—He encontrado un poco de pastel de zanahorias. Os gustará.

Puso la bandeja en el suelo y se sentó a continuación en un cojín grande, cruzando las piernas. No había ninguna silla en la habitación, así que Tom y Dietmar no tuvieron más remedio que sentarse en otros cojines.

—Aquí tienes tu bollo de germen de trigo.

Con gran sorpresa, Tom lo encontró sabroso.

—No está mal para ser de gérmenes.

El señor Kaufman sonrió.

—El germen del trigo es la parte nutritiva del grano.

Tom quiso probar el pastel de zanahorias, pero ya había desaparecido por la garganta de Dietmar. La comida era sorprendentemente buena.

Cogió otro bollo y miró directamente al señor Kaufman.

—¿Qué piensa usted de las Industrias Dorchester?

Después de un breve silencio, aquel hombre se encogió de hombros.

—No tengo ninguna opinión respecto a ellas.

—¿No está usted en contra de las Industrias Dorchester?

—No estoy a favor ni en contra. Me gustaría que sus fábricas no contaminaran el medio ambiente, pero ¿qué puedo hacer yo?

—Podría unirse a DEMON.

Una sonrisa.

—¡Ya veo! Sospechas que yo tengo algo que ver con esos terroristas. ¿Por qué?

Después de un molesto silencio, habló Tom.

—He visto su póster sobre las Industrias Dorchester.

—Ese póster pertenece a mi huésped, Red Smith. Vive en esa habitación cuya puerta está cerrada —el señor Kaufman sonrió—. Ya sabes, la puerta que intentabas abrir.

El sonrojo de Tom aumentó.

—Lo siento.

—No te preocupes por ello —dijo el señor Kaufman riéndose.

Tom cogió un poco de requesón de soja

para ocultar su apuro y digerir aquella última información. ¿Quién sería aquel Red Smith? Su nombre sonaba falso, pero podía ser una pista valiosa.

—¿Qué hace Red Smith?

—Ha empezado a trabajar en el zoológico, como cuidador de tigres.

A pesar de sus sospechas, Tom se sintió impresionado.

—¡Me encantaría conocer a un cuidador de tigres! ¿Cuándo vuelve a casa?

—Hace aproximadamente treinta segundos que regresó.

Tom frunció las cejas.

—¿Qué quiere decir?

—Quiero decir que Red Smith está justamente detrás de ti.

Desconcertado, Tom se dio la vuelta; detrás de él estaba un hombre joven, de ojos brillantes, espeso bigote rojo y pelo llameante.

—¿Quiénes son estos chicos? —preguntó.

—Son amigos míos. ¿Quieres tomar algo con nosotros?

Después de dudar un momento, dijo:

—De acuerdo.

Red Smith se dejó caer en un cojín y cogió un bollo. Se lo comió rápidamente, ignoran-

do a Tom y Dietmar, y luego sacó un periódico enrollado, del bolsillo lateral de su vaquero.

—DEMON ha reivindicado el secuestro de
Dianne Dorchester.

—Todo el mundo lo suponía —dijo el
señor Kaufman.

—Claro, pero el caso es que Dorchester ha
ofrecido un rescate fabuloso y DEMON lo ha
despreciado. Se niegan a ponerla en libertad.

—¿Por qué?

—Quizá porque Dorchester trataría de en-
gañarlos. Probablemente intentaría pagar el
rescate con dinero del *Monopoly*.

Tom se movió inquieto en su cojín. Quería
salir en defensa del señor Dorchester, pero se
sentía atemorizado por aquel tipo.

—No sé —dijo finalmente.

Red Smith dirigió su mirada a Tom.

—¿No sabes qué?

—Que el señor Dorchester intentara enga-
ñar a DEMON. Yo creo que lo que quiere es
recuperar a Dianne.

Red Smith dio un bufido.

—Ya engañó a la gente de White River.

—¿Cómo?

—Cuando estableció allí las Industrias Dor-

chester, dijo a la gente que les daría trabajo.
Se lo dio a algunos, pero la mayoría de ellos
enfermaron con el mal de Minamata.

—¿Qué enfermedad es ésa?

—Es demasiado desagradable para hablar
de ella.

—¿Y por eso puso DEMON una bomba en la
fábrica?

Pero Red parecía no querer añadir nada
más y de nuevo dirigió su atención al periódico. La habitación permaneció en silencio
mientras leía. Un momento después levantó
la vista.

—Aquí dice que DEMON intenta doblegar a
Dorchester. Apuesto a que no lo conseguirá
antes del sábado.

Tom quiso hacerle una nueva pregunta,
pero no se atrevió, a causa del comportamiento poco amistoso de Red. Afortunadamente
habló el señor Kaufman.

—¿Por qué el sábado?

—La inauguración oficial de la nueva
fábrica de agua pesada está prevista para ese
día. Muchos están en contra, por lo que, si
DEMON impide su inauguración, puede conseguir un gran apoyo popular.

Red observó una gran foto de Dianne en la primera página del periódico.

—Verdaderamente no hay derecho a que secuestren a una joven. Creo, sin embargo, que Dianne lo soportará bien. Es una chica fuerte.

—¿Cómo lo sabe usted? —preguntó Tom.

Los ojos azules de Red se clavaron en Tom.

—Haces muchas preguntas, muchacho.

Tom se encogió de hombros, fingiendo indiferencia.

—Soy curioso por naturaleza.

—Pero la curiosidad puede ser peligrosa. Así que ten cuidado.

Tom tembló. Miró a Dietmar, esperando ver una sonrisa, pero también su rostro traslucía temor. Las cosas se iban complicando y quizá sería oportuno que se marcharan antes de que sucediera algo grave.

—Gracias por la comida —dijo Tom levantándose.

Dietmar se puso en pie de un brinco.

—Sí, gracias.

Los dos se dirigieron apresuradamente hacia la puerta y luego bajaron los escalones del porche. Tom respiró profundamente y sacó su cuaderno de notas.

—¡Tengo a mi «hombre», Oban!

Dietmar miró inquieto hacia la barcaza.

—Te pueden oír —dijo en voz baja—. Vámonos de aquí.

Tom asintió. Tomó unas notas sobre la aversión que Red Smith sentía hacia el señor Dorchester y su aparente conocimiento de las actividades de DEMON. Satisfecho, dio un golpe al cuaderno antes de guardárselo.

—Mañana voy a seguir a Red Smith. Conseguiré que diga la verdad o no me llamo Tom Austen.

—¿Estás loco? Mantente alejado de ese tipo.

Tom dio una patada a una piedra y la siguió con la vista hasta que se hundió en el río.

—Tengo un plan perfecto. ¿Recuerdas que Kaufman dijo que Red trabajaba en el zoológico?

—Claro. Es el cuidador de los tigres.

—Bien. Hoy hablé con el señor Stones en clase y prometió ayudarme en un trabajo que tengo que hacer sobre los reptiles. Hemos quedado en visitar alguna vez el jardín tropical del zoológico, así que le propondré que vayamos mañana después de clase.

42

—¿Y allí aprovecharás para acercarte a la jaula de los tigres?

—Lo has adivinado. Le haré algunas preguntas intencionadas hasta que cometa cualquier error que nos dé alguna pista sobre Dianne. Después la policía descubrirá al resto de los terroristas de DEMON.

Dietmar movió la cabeza.

—Te estás metiendo en un buen lío, Austen. Red Smith es un hombre peligroso.

—Bastante peligroso —dijo Tom, aparentando valor—. Mañana, a estas horas, habré conseguido lo que quiero.

—No lo niego —dijo Dietmar—, pero también es posible que mañana, a estas horas, estés sirviendo de alimento a los tigres.

4

DOS SERPIENTES pitón dormitaban en las ramas de un árbol seco.

Tom miraba fascinado los anillos y pliegues de sus largos cuerpos. Cuando una de ellas bostezó, abriendo increíblemente sus mandíbulas y mostrando el interior rosado, dio un paso atrás, asustado.

—No me gustaría encontrarme ese bicho en una calle oscura.

El señor Stones sonrió.

—Sería un buen refuerzo para el equipo de lucha del colegio.

Tom levantó la vista para mirar a aquel hombre alto y delgado.

—Creo que ya tengo material suficiente para mi trabajo. Gracias por traerme al zoo, señor.

—Está bien, Tom. Y procura no preocuparte más por el secuestro de Dianne —el señor Stones miró en dirección a una mujer joven que observaba otra jaula—. He disfrutado enormemente esta tarde.

Tom trató de ocultar una sonrisa. No era ningún secreto la inclinación que sentía el señor Stones por su colega, la señorita Ashmeade, a la que no había dudado en invitar a la excursión al Parque Assiniboine.

Estando su profesor tan distraído, Tom esperaba no tener problemas para acercarse hasta la jaula de los tigres y ver a Red Smith.

—¿No va a tomar un café con la señorita Ashmeade, señor?

—Buena idea, Tom.

El señor Stones tragó saliva con dificultad y rebuscó unas monedas en el bolsillo mientras miraba a la señorita Ashmeade. Por fin, después de frotar cuidadosamente la insignia que siempre llevaba, con la frase: *Bombas de neutrones, no,* se enderezó y se dirigió hacia la señorita Ashmeade. Hablaron tranquilamente durante un rato largo y, luego, ella sonrió y tomó la mano del señor Stones.

Tom enarcó las cejas. Aquello era una novedad que tenía que comunicar inmediatamente a sus compañeros de clase; muchos

de ellos estaban convencidos de que el señor
Stones no tendría éxito con la señorita Ashmeade; sin embargo, había que reconocer
que estaba progresando.

—Ven, Tom —le llamó el señor Stones
con una amplia sonrisa—. Te invito a un
batido.

Esperando una ocasión para escabullirse,
Tom siguió a sus profesores a través de los
jardines tropicales. A ambos lados del camino crecía un espeso follaje; pequeños y tran-
quilos estanques reflejaban los variados colores de las plantas, mientras los pájaros

47

revoloteaban por encima de sus cabezas para posarse en las ramas de árboles exóticos; era un bello espectáculo, pero la mente de Tom estaba demasiado ocupada con el secuestro de Dianne para apreciarlo.

Mientras salían del recinto, el señor Stones miró hacia el cielo gris.

—Sigo diciendo que va a llover.

La señorita Ashmeade se echó a reír.

—Y yo insisto en que no necesita el paraguas. Arriésguese algo más, señor Stones.

—Llámeme John, por favor.

—De acuerdo.

Ella le cogió del brazo, un dato más para la información que estaba recogiendo Tom. Se acordó de Red Smith y sacó un chicle para calmar sus nervios. Al comenzar a masticar le miró el señor Stones.

—Escupe eso.

—¿Por qué?

—Escúpelo, Tom. Estamos realizando una actividad escolar, así que no hay chicle.

Rezongando por lo bajo, Tom tiró el chicle en un cubo de basura. Le reconfortó una sonrisa radiante que le dirigió la señorita Ashmeade.

Tom trataba de recordar algún chiste,

48

pero notó un tirón en el estómago al leer un letrero que decía: *Tigres*.

—Vamos a ver los perros de la pradera —propuso para ganar tiempo.

—¿No pueden esperar? —el señor Stones miraba ansiosamente hacia la cafetería.

La señorita Ashmeade se echó a reír.

—Vamos, John, no sea aguafiestas. Vamos a verlos.

Ella indicó el camino hacia el cercado. Unos estaban excavando madrigueras, otros jugando en el lodo, y los más hambrientos, sentados sobre sus patas traseras, pedían de comer. Tom intentó distraerse, pero no podía dejar de pensar en Red Smith.

—Dígame, señor Stones, ¿qué es el mal de Minamata?

El profesor le miró sorprendido.

—¿Por qué lo preguntas, Tom?

—Ayer conocí a un tipo que lo mencionó.

—Bien. Cuando el mercurio se va acumulando en el organismo humano, el cerebro comienza a contraerse lentamente. Eso origina complicaciones muy serias, como dificultades para andar y para hablar.

—Pero, ¿cómo se puede ingerir mercurio?

—Sucede accidentalmente. El mercurio llega a las aguas de los ríos procedente de las plantas industriales y se concentra en los peces. Luego, las personas comen pescado, sin saber que contiene mercurio.

La señorita Ashmeade dejó de mirar hacia los perros de la pradera; sus ojos denotaban una profunda emoción.

—La planta de White River, del señor Dorchester, deja escapar mercurio. Cuando estuve allí, encontré gente con el mal de Minamata y aquello me impresionó enormemente.

—Es muy triste —dijo el señor Stones—. Sobre todo porque la planta del señor Dorchester podría trabajar sin mercurio. Hoy existen métodos que no emplean mercurio, pero son más costosos.

La señorita Ashmeade movió la cabeza.

—El Gobierno podría obligar a que modificaran la fábrica, pero el primer ministro, Jaskiw, teme al señor Dorchester. ¡En qué mundo vivimos!

Tom se sintió molesto y se volvió hacia los animalitos. Ahora comprendía por qué Red Smith no había querido hablar del mal de Minamata; pero no era razón suficiente para abandonar su investigación sobre aquel hombre.

—Tengo algo que hacer —dijo—. ¿Nos vemos más tarde?

El señor Stones miró su reloj.

—Nos reuniremos a las cuatro y media, junto a la jaula de los monos.

Tom se encaminó hacia los tigres. Sus nervios estaban tensos y se preguntaba si el zoo, atestado de gente, era el sitio más apropiado para interrogar a Red Smith.

Había un grupo de personas asomadas a un gran recinto, mirando a un cachorro de tigre al que lamía su madre. Terminado el aseo, se echó sobre el lomo y le dio un suave zarpazo a su madre; Tom se fijó en las manchas de su piel, pero no pudo evitar un respingo al levantar la vista y ver a Red Smith.

Caminaba lentamente por el otro lado del recinto, mirando, a través de la tela metálica, al cachorro y a su madre. Se detuvo y comenzó a hablar suavemente a los tigres; los ojos acerados de Red Smith se suavizaron con una sonrisa cuando la madre se volvió hacia él.

Poco después, pasó un avión volando bajo, con los motores rugiendo, lo que hizo que la tigresa aguzara el oído, y Red se alejó.

Tom se decidió antes de que le fallara el valor. Se dirigió sonriente hacia él con una mano levantada a modo de saludo.

—¿Se acuerda de mí?

Con gran sorpresa vio cómo el hombre sonreía abiertamente.

—Claro que sí. Me alegro de verte de nuevo, chico.

—Yo... pensé que debía venir a verle, señor Smith.

—Llámame Red.

—De acuerdo. La verdad es que me gustan sus tigres.

—Escucha, muchacho. Siento haber sido un poco rudo ayer. Me afectó mucho ese secuestro.

Tom asintió con la cabeza, sintiéndose culpable por haber sospechado de él. Realmente, Red estaba siendo muy amable.

—¿Dónde está tu compañero?

—¿Dietmar? Probablemente en casa, viendo algún rollo en la televisión.

Red se echó a reír.

—Hablando de casa, allí es donde me voy volando. Encantado de verte.

52

—Lo mismo digo.

Tom observó cómo se alejaba Red, preguntándose si debía abandonar tan fácilmente su investigación. Decidido a seguirle, dio unos pasos, pero se detuvo cuando una niña se dirigió a Red.

—Oiga, señor, ¿son suyos estos tigres?

—Bueno, yo soy uno de sus cuidadores.

—Debe ser el mejor trabajo del mundo.

—Tienes razón —dijo Red sonriendo.

La tigresa saltó a una plataforma de madera. Se sentó en ella y empezó a rascarse el hocico con una pata; uno de los espectadores movió la cabeza con admiración.

—Es un animal precioso. Con su piel se podría hacer una alfombra estupenda.

Red miró con dureza a aquel hombre.

—¿Lo dice en serio?

—¿Qué le pasa, amigo?

—Yo no soy su amigo —dijo Red, enfadado—. No me gusta la gente que piensa que unos tigres inocentes sirven para hacer alfombras.

El rostro del hombre comenzó a enrojecer.

—Calma, muchacho. Fue sólo un comentario.

—Un comentario estúpido.

Se miraron ferozmente con los puños crispados y luego el hombre se alejó. Tom sintió escalofríos; ciertamente, Red Smith tenía genio.

La tigresa oteó el aire y resopló. Red se tranquilizó al verla; luego, vio a Tom y se acercó a él.

—Habrás pensado que tengo mal genio.

Tom se encogió de hombros.

—Los tigres acabarán por desaparecer si se los sigue matando con esa finalidad —Red movió la cabeza—. Yo conocí a uno que tenía una piel de tigre. Me daba tanta rabia que la hice pedazos.

El corazón de Tom dio un brinco. Se volvió temblando para mirar a la tigresa, mientras recordaba las palabras de Dianne: «La noche en que Powell se marchó, hizo pedazos la alfombra».

—Bueno, chico, voy a continuar mi trabajo.

—¡Espere! Yo... Bueno, quiero hacerle una pregunta.

—¿De qué se trata?

—¿Le gustaría conocer a mi profesor?

—En otro momento.

—¡Por favor! Es sólo un minuto.

Red sonrió.

—De acuerdo; si es tan importante...

Tom fingió alegrarse, pero su mente no dejaba de dar vueltas. Estaba convencido de haber descubierto algo importante: Red era, en realidad, Powell, el desaparecido hermanastro de Dianne, el que había destrozado la piel de tigre del señor Dorchester.

Powell era rubio, pero Tom recordó el tubo de tinte rojo para el pelo que había entre la basura de la barcaza, y la forma en que había hablado de Dianne, como si la conociera personalmente. Si a esto se unía su aversión por el señor Dorchester y el hecho de haber abandonado su casa, no era descabellado aventurar que se había unido a los terroristas de DEMON, que compartían su aversión hacia su padrastro.

—¿Es ése tu profesor?

—¿Qué? —dijo Tom, sobresaltado, pues estaba absorto en sus pensamientos.

—Ese tipo alto que está mirando a los monos tiene pinta de profesor.

—Sí, ése es.

La policía debía interrogar a Red inmediatamente, pues Tom estaba seguro de que sabía dónde se encontraba Dianne. Tratando de encontrar un medio de poner sobre aviso a los profesores, Tom tocó el brazo del señor Stones.

—Señor —dijo con voz temblorosa—, quiero presentarle a... Red Smith.

El señor Stones se volvió y estrechó la mano de Red. Durante un instante su comportamiento fue amistoso, pero sus ojos se ensombrecieron cuando Tom presentó a la señorita Ashmeade, que se quedó mirando el hermoso rostro de Red y luego le sonrió abiertamente.

—Encantado de conocerle —dijo fríamente el señor Stones, dándole la espalda.

La señorita Ashmeade cogió al señor Stones por el brazo y se volvió para contemplar un mandril. Red se alejó para mirar un gibón que daba enormes brincos de un lado a otro de la jaula.

Sin perder tiempo, Tom se acercó a los profesores.

—Escuchen —susurró desesperadamente—. Creo que Red está relacionado con DEMON y que sabe algo acerca de Dianne. Tenemos que avisar a la policía.

La señorita Ashmeade se quedó impresionada, pero el señor Stones se limitó a levantar las cejas.

—¿Ya estás jugando otra vez a detectives, Tom?

El rostro de Tom se volvió escarlata.

—¡Es verdad! ¡Hay que arrestarlo inmediatamente!

Antes de que pudiera contestar el señor Stones, regresó Red y se apoyó en la barandilla.

—Ese mandril podría ganar un concurso de feos.

La señorita Ashmeade esbozó una sonrisa, pero Tom sabía que le había preocupado la noticia. Posiblemente, si él consiguiera que Red no saliera del zoo, ella podría escabullirse y telefonear a la policía.

Un hombre, con un mechón de pelo blanco, y que había estado observando atentamente al mandril, sacó un cacahuete del bolsillo. Lo tiró hacia la jaula, pero tropezó con la tela metálica y cayó al suelo.

El animal no lograba alcanzar el cacahuete y en su rostro se dibujó una expresión triste.

—Pobre animal —dijo el señor Stones. Inclinándose hacia adelante, empujó el cacahuete hacia la jaula con el paraguas.

Como un rayo, el mandril agarró la tela negra del paraguas.

El señor Stones se quedó anonadado. Tiró del paraguas, pero el mandril lo tenía asido fuertemente.

—¡Suéltalo!

El animal gruñó y Tom, que observaba la cara ruborizada de su profesor, hacía esfuerzos para no reírse, al tiempo que el forzudo mandril tiraba del paraguas.

Inmediatamente se congregó una multitud de curiosos y un hombre sacó un dólar.

—¡Apuesto por el mono! Es más fuerte que ese señor larguirucho.

Todo el mundo se rió y la señorita Ashmeade se volvió enfadada hacia el hombre.

—Tenga cuidado, o mi amigo le romperá la cara.

El hombre del mechón blanco hizo algún comentario y la señorita Ashmeade le contestó, pero su respuesta se perdió entre las carcajadas de la gente; Tom estaba emocionado al ver que había salido en defensa del señor Stones.

—Vamos, señor Stones —le animó—. Haga un esfuerzo.

Casi todo el paraguas estaba ya dentro de la jaula, cuando se abrió con un súbito chasquido. Inmediatamente se oyó el ruido de la tela al ser desgarrada por el animal.

El señor Stones miró compungido al animal, que estaba destrozando el paraguas con los dientes, y luego se abrió paso entre la concurrencia. Tom se alegró de que Red le siguiera y le diera un golpe amistoso en la espalda.

—Mala suerte, profesor. Eso le pasa por llevar paraguas.

—Pensé que iba a llover.

Un minuto después salió la señorita Ashmeade de entre la multitud.

—He tenido unas palabras con esos palurdos que se reían de usted, John.

—Gracias —dijo él, animándose cuando la señorita Ashmeade le tomó por el brazo.

Red miró su reloj.

—Me voy a casa.

—¡No! —dijo Tom—. No se vaya aún.

—¿Por qué no?

Tom dudó un instante, intentando encontrar alguna excusa. Entonces escuchó el silbido de un tren.

—¿Por qué no montamos en el tren del parque?

Red parecía azorado.

—¿Por qué no te vas con tus profesores?

—Es que tienen que llamar por teléfono.

—¿Los dos?

—Sí —dijo Tom—. El tren está ahí, Red. Ya verá cómo le gusta.

—Eso espero —dijo Red, siguiéndole.

La reproducción de una locomotora antigua, parada junto a una estación de vivos colores, dejaba escapar espesas nubes de vapor. Red parecía impresionado, mientras observaba al conductor, que echaba carbón en la caldera.

—Es una auténtica máquina de vapor. No una imitación, como casi todas las cosas de ahora.

—¿No le encanta mi idea de dar un paseo en ella?

Red se encogió de hombros.

Anduvieron a lo largo del tren, hasta que encontraron sitio en el último de los vagones descubiertos. El viento susurraba entre los árboles y secaba el sudor de la frente de Tom, que esperaba ansiosamente que sonasen las sirenas de la policía. ¿Tardarían mucho los profesores en encontrar un teléfono y pedir ayuda?

Con un silbido, el tren se puso en marcha.

Repicó la campana de bronce de la locomotora, al tiempo que ésta dejaba escapar espesas nubes de vapor. Los pasajeros comenzaron a hablar emocionados y las ruedas de acero se pusieron en marcha.

El tren se adentró en un corto túnel, llenando el aire de humo de carbón. Fue adquiriendo velocidad mientras se dirigía hacia un bosque y sonó el silbato.

Un hombre de mechón blanco salió de entre los árboles y se detuvo junto a las vías. Tom echó un vistazo al desconocido, recordando haberlo visto antes junto a la jaula del mandril; pero enseguida volvió a sus pensamientos: ¿dónde estaban esas sirenas?

—¡Cuidado, chico!

El grito provenía de Red. De momento Tom se sintió totalmente confuso, pero en seguida Red le empujó fuera del tren. Al tiempo que gritaba asustado, pudo ver al hombre del mechón blanco, junto a las vías, con ambas manos dirigidas hacia el tren. Un segundo después, caía al suelo y rodaba hasta un matorral.

Se quedó quieto, tratando de recuperar la respiración. Intentó incorporarse y miró hacia el tren, que se había detenido.

El conductor corría hacia Tom.

—¿Estás bien?

—Sí, estoy bien —dijo Tom, aunque se sentía lleno de arañazos y magullado—. No se preocupe.

Aquella demostración de valor fue recompensada con una mirada enojada.

—¿Por qué saltaste, muchacho? ¿No sabes que es peligroso?

Aquel comentario irritó a Tom, pero su mayor enfado era con Red Smith. No sólo le había tirado del tren, sino que seguía sentado en el vagón, tan tranquilo, ignorando los apuros de Tom.

Con cara enfadada, Tom se dirigió cojeando hacia el tren. Subió al vagón de pasajeros para pedir explicaciones a Red, pero al verlo quedó consternado. Su cara estaba pálida, tenía los ojos cerrados y perdía sangre por un agujero de bala que tenía en la camisa.

5

La BALA no mató a Red.

La policía llegó enseguida y buscó infruc-
tuosamente al desconocido del mechón blanco. Era evidente que había disparado sobre
Red con una pistola provista de silenciador,
pero la policía ignoraba el motivo. Interroga-
ron al señor Kaufman en su barcaza, pero
éste declaró que no sabía nada de los asun-
tos personales de su inquilino.

Mientras tanto, Red yacía en grave estado
en el hospital. Se avisó al señor Dorchester,
quien confirmó que, efectivamente, aquel
joven era su desaparecido hijastro.

Tom aguardaba con ansiedad las noticias
sobre el estado de Red, sintiendo que su
inoportuna intervención hubiera originado
el atentado. Al día siguiente no consiguió
concentrarse en clase y se alegró cuando el

señor Stones anunció un cambio en el programa.

—Esta tarde vamos a realizar una visita especial...

Los gritos de alegría le hicieron callar. Con las manos en las caderas esperó hasta que la clase quedó en silencio.

—Mi hermana es funcionaria del Gobierno. Se ha convocado una sesión urgente para discutir las amenazas de DEMON y ha invitado a dos clases de nuestra escuela para que asistan.

—¿Podremos ir después a tomar unas hamburguesas?

—¿Es que sólo pensáis en comer? —el señor Stones miró su reloj—. El autobús ya debe de estar esperando fuera. Y no lo olvidéis: comportaos debidamente.

Se pusieron en pie y salieron atropelladamente hacia el autobús. Los alumnos de la señorita Ashmeade ya habían subido y el autobús se llenó de charlas y risas mientras se dirigía hacia el centro de la ciudad.

La señorita Ashmeade estaba sentada junto a sus alumnos y leía un libro, mientras el señor Stones estaba atento a los posibles lanzadores de bolitas de papel.

—Oiga, señor Stones —preguntó Tom—, ¿qué cargo tiene su hermana?

—Es fiscal general. Eso significa que está al frente de la administración de justicia en Manitoba, que incluye la labor policial y la de los tribunales.

—¡La labor policial! ¿Le ha contado ella algunos datos secretos acerca de la investigación que se lleva a cabo sobre DEMON?

El señor Stones sonrió.

—No puedo decirte nada de eso, Tom.

—Me gustaría saber quién piensa su hermana que es el cerebro de DEMON. Mi teoría

65

es que debe ser alguna persona de aspecto inocente, a la que uno nunca consideraría un criminal.

Dietmar se rió.

—A Austen le llaman *el detective de chicle*, porque sus teorías estallan como los globos de chicle.

—¿Quieres que te dé una bofetada, Oban?

—¡Qué fuerte eres! —dijo Dietmar—. No hay más que verte.

—Sí, y tú qué cerdo eres —replicó Tom—. No hay más que olerte.

La señorita Ashmeade levantó la vista de su libro.

—Dietmar, deja de meterte con Tom. Al menos está intentando ayudar a encontrar a Dianne.

Dietmar no replicó y Tom sonrió a la señorita Ashmeade.

—Usted sabe cómo hacer callar a los bocazas.

La señorita Ashmeade puso un marcador de cuero en su libro y luego miró a Tom con la preocupación reflejada en sus oscuros ojos.

—No deberías correr riesgos inútiles, Tom. Estoy segura de que la policía encontrará pronto a Dianne.

66

—Esperemos que así sea —Tom observó las iniciales L. A. en el marcador de cuero—. ¿Son ésas sus iniciales?

—Sí.

Tom bajó la voz.

—Hace poco me fijé en un corazón, dibujado en una pizarra, con las iniciales L. A. Un hombre alto que andaba por allí se hizo el desentendido, pero le delataron sus dedos manchados de tiza.

La señorita Ashmeade sonrió.

—Estoy segura de que te estás inventando esa historia.

—Dígame. ¿Es cierto que en su clase han hablado de Disneylandia?

Ella negó con la cabeza.

—He leído a mis alumnos algunas cartas de mis padres, que están de vacaciones en California, y uno de los sitios que han visitado es Disneylandia.

—En nuestra clase le hemos estado dando la lata al señor Stones para que nos cuente algo de Disneylandia, pero él dice que ese país no existe.

La señorita Ashmeade se echó a reír, y se volvió para mirar por la ventanilla, en el momento en que el autobús se detenía frente a un gran edificio, sede del Gobierno provincial.

En lo alto del edificio resplandecía, a la luz del sol, la estatua conocida con el nombre de *El muchacho dorado*. Dietmar y unos cuantos chicos se pararon a mirarla al bajar del autobús; otros se acercaron a la estatua de la reina Victoria, situada en los jardines del edificio desde 1904, y que parecía un poco aburrida.

Mientras tanto, Tom se acercó a un grupo ruidoso de gente, reunida junto a la entrada principal del edificio, con pancartas en las que se podía leer: *Parar a Dorchester* y *Agua pesada, no.*

—¿Qué pasa? —preguntó a una mujer que llevaba una de las pancartas.

—Dorchester va a venir hoy por la mañana. Protestamos contra su nueva fábrica de agua pesada de Monarch.

—¿Por qué?

—Porque una avería podría originar un escape de gas sulfhídrico. Los habitantes de Monarch morirían en poco tiempo.

—¿Es posible que eso pueda suceder?

—Dorchester no se preocupa de la contaminación ni de la seguridad industrial. Ya

68

han ocurrido pequeños accidentes, y eso que la fábrica aún no está inaugurada oficialmente. Todos estamos muy asustados.

Sintiéndose solidario, Tom echó un vistazo a los manifestantes. Luego se dirigió hacia la escalinata del edificio para reunirse con sus compañeros de clase.

—Dígame, señor Stones, ¿para qué sirve el agua pesada?

—Se emplea como regulador en las centrales nucleares.

—¿Cómo puede ser peligrosa esa agua?

—Fabricar agua pesada implica algunos riesgos, Tom. Hay que tener mucho cuidado para evitar accidentes.

—¿No es segura la fábrica del señor Dorchester?

El señor Stones parecía preocupado, pero esbozó una sonrisa.

—Esperemos que sí.

Una vez dentro del edificio, el grupo se detuvo en un inmenso vestíbulo de paredes de piedra. Sobre ellos había una gran bóveda acristalada y, enfrente, una amplia escalinata que conducía a la Cámara Legislativa.

—Esta es la Gran Escalinata —dijo el señor Stones, y luego señaló los dos grandes búfalos que flanqueaban la escalinata—. Cada una de esas estatuas pesa más de dos toneladas. Y ahora, una pregunta: ¿sabéis cómo se las ingeniaron los constructores para transportar esas estatuas tan pesadas sobre el suelo de mármol, sin arañarlo?

—Ni idea —dijo Tom; sus compañeros tampoco parecían saberlo.

—Dos pistas: primera, el trabajo se realizó en invierno; segunda, estamos cerca del río.

Nadie dijo nada y el señor Stones sonrió.

—Las colocaron sobre unos grandes bloques de hielo que sacaron del río, y las deslizaron sobre el suelo.

La señorita Ashmeade observó las peludas cabezas de los búfalos.

—En las praderas había millones de estos magníficos animales. Ahora, sólo queda un puñado, a causa de las matanzas llevadas a cabo por el hombre blanco.

—Es cierto —asintió el señor Stones.

—Las tribus Cree dependían del búfalo y vieron aniquilada su forma de vida. Yo les digo siempre a mis amigos Cree que sus antepasados deberían haber expulsado a los blancos de sus praderas.

—Un sentimiento noble —remachó el señor Stones, que se volvió hacia sus alumnos—. Este edificio neoclásico tiene elementos griegos y romanos. No miréis a Medusa o, de lo contrario, os volveréis de piedra.

—¿A quién? —preguntó Dietmar.

—Mirad allí.

En la parte superior de un arco había una mujer de ojos blancos y boca sonriente; en lugar de cabellos tenía unas serpientes enroscadas alrededor de la cabeza.

—Según una leyenda griega, si alguien mira a Medusa se vuelve de piedra.

—¡Vaya cosa! —dijo Dietmar—. Yo la estoy mirando y no me pasa nada.

—Porque tú eres una rata y no un hombre —dijo Tom riéndose.

—¡Y tú, un alcornoque!

El señor Stones hizo una seña para que se callaran y los alumnos le siguieron por la gran escalinata. Pronto estuvieron sentados en la galería pública, mirando a los miembros del Gobierno, que empezaban a reunirse en la Cámara Legislativa.

Entró en la sala un hombre de pelo oscuro, que llevaba gafas, y se dirigió hacia su puesto por la alfombra azul, deteniéndose en su camino para hablar con algunos de los

71

hombres y mujeres que estaban sentados en sus asientos de nogal, dispuestos en forma de herradura.

—Ese es el jefe del Gobierno, el honorable Donald Jaskiw —dijo el señor Stones.

—¿Dónde está su hermana, señor Stones? —preguntó Tom.

—Es la que está hablando ahora con el primer ministro Jaskiw.

La mujer era tan alta y delgada como el señor Stones y parecía tener sus mismos gestos nerviosos. Se acariciaba el pelo con sus largos dedos mientras hablaba con el primer ministro; luego se sentó y comenzó a chuparse una uña mientras examinaba sus papeles.

Tom quería saber qué datos secretos habría oído el señor Stones de su hermana, referentes a la investigación policial acerca de DEMON. Mientras pensaba cómo conseguir aquella información, la gente comenzó a levantarse y todas las miradas se dirigieron hacia un hombre que había entrado en la cámara llevando una maza dorada.

Después de una breve súplica, todo el mundo se sentó, excepto el primer ministro Jaskiw.

72

—Señor presidente —dijo dirigiéndose al hombre de túnica negra que presidía la sesión—, vivimos en una época de temor. Un grupo terrorista llamado DEMON intenta destruir nuestra libertad. ¡Pero no vamos a permitirlo!

Algunos miembros del Gobierno levantaron las tapas de sus pupitres y golpearon con ellas fuertemente, en señal de aprobación. Cuando terminó de hablar se levantó una mujer de pelo rizado.

—Esa es la señora Steen, líder de la oposición —susurró el señor Stones—. Su trabajo consiste en enjuiciar con sentido crítico la labor del Gobierno.

—Señor presidente —dijo—, aunque yo no estoy a favor de DEMON, debo recordar que sus ataques van dirigidos sólo contra el señor James Dorchester. Este señor, primero envenena nuestros ríos con mercurio, y ahora su nueva fábrica amenaza la ciudad de Monarch con un posible escape de gas letal. ¿Y por qué? Gracias a ello, James Dorchester puede permitirse el lujo de tener un reactor privado y la casa más grande de Winnipeg. ¿No es esto algo terriblemente injusto?

Antes de que el primer ministro pudiera

73

replicar, hubo un rumor general, mientras la gente dirigía su mirada hacia un sector de la galería pública reservado a invitados especiales.

Rodeado de guardaespaldas, el señor Dorchester entró en la galería y se sentó en primera fila; echó un vistazo a su reloj, como indicando que le aguardaban otros negocios, y el primer ministro tomó de nuevo la palabra.

—Agradecemos que hoy, que hacemos una declaración pública contra los terroristas, esté con nosotros el señor Dorchester. El ha dicho que *nada* le hará retroceder ante DEMON, y mi Gobierno le apoya por completo.

La señora Steen se puso en pie.

—¿Piensa inaugurar mañana la fábrica de agua pesada, a pesar de la oposición pública?

—¡Sí! La planta proporcionará trabajo, y dinero en forma de impuestos, que se dedicará a la educación y a la construcción de hospitales. Yo brindo mi total apoyo a la inauguración de una nueva fábrica y a la lucha del señor Dorchester contra DEMON.

Poco después se incorporó el señor Dorchester, dirigió un gesto de asentimiento al primer ministro y se marchó. Tom se acordó de los manifestantes y se preguntó si se originaría algún alboroto.

—Vuelvo enseguida —susurró al señor Stones.

Cogido por sorpresa, el profesor no pudo reaccionar a tiempo e impedir que Tom saliera de la galería. Mientras bajaba presuroso la gran escalinata, oyó fuertes gritos en el exterior.

Ahora había muchos manifestantes y las pancartas se agitaban por doquier. El señor Dorchester se encontraba en medio de la multitud, discutiendo con una mujer encolerizada.

—¡Llévese su fábrica a otra parte! —gritaba—. ¡No la queremos!

—¿No quieren ustedes puestos de trabajo?

—No, si nos pueden causar la muerte.

—No habrá ningún escape de gas. Mis instalaciones nunca han tenido ningún accidente.

—¡Eso es mentira! —la mujer empujó hacia adelante a un hombre ya mayor—. Dígale a Dorchester lo que le pasó a usted, señor Posner.

El hombre miró el rostro amenazador del señor Dorchester y se puso a juguetear con

75

los botones de su camisa de trabajo; estaba muy nervioso.

—Yo..., bueno, no quiero causar problemas.

—¡Ánimo, viejo! —gritó alguien entre el gentío—. Dígale a Dorchester lo que verdaderamente está ocurriendo en Monarch.

Sin dejar de jugar con los botones, el hombre se pasó la lengua por los labios.

—Bien, mi granja está cerca de su fábrica, señor Dorchester. Durante la construcción, uno de los empleados de la planta dejó una válvula abierta y se produjo un escape de productos químicos de un tanque. Se filtraron en el arroyo de mi finca y lo dejó contaminado.

El señor Dorchester miró atentamente el rostro del anciano.

—¿Qué bebe ahora, señor Posner?

—Almacenamos el agua de lluvia en barriles.

—¿Cómo está?

—Bueno, la verdad es que sabe muy bien.

—¡Entonces no hay ningún problema!

El anciano miraba indeciso, pero la mujer estaba furiosa.

—¡Claro que hay problemas! El señor Pos-

76

ner tiene derecho a una indemnización, y su compañía se niega a pagársela.

—Entonces, lo mejor que puede hacer es ir a los tribunales y probar su acusación.

—No tiene medios para hacerlo.

—Lo siento —el señor Dorchester miró su reloj—. No tengo tiempo para hablar más.

Hizo una seña a sus guardaespaldas, que entraron en acción, empujando hacia atrás a los manifestantes para abrirle paso. Instantes después entró en su coche y se marchó.

Tom observaba la multitud, que se movía de un lado para otro, sintiéndose molesto por lo que había presenciado. A pesar de su probada lealtad hacia el padre de su amiga, cada vez veía más claro por qué la gente odiaba al señor Dorchester y por qué, incluso, algunos se identificaban con la postura de DEMON.

En un extremo del grupo de manifestantes, Tom divisó a un hombre con un mechón de pelo castaño. Su corazón se estremeció al pensar que aquel hombre podía ser el que disparó sobre Red, aunque, desde lejos, no podía estar seguro.

Cuando Tom se acercaba para examinarle mejor, el hombre tiró la pancarta que llevaba y se alejó rápidamente de los jardines del edificio de la Legislatura.

Tras dudar un momento, Tom le siguió.

6

EL HOMBRE no parecía darse cuenta de que le seguían.

Poco después desapareció entre los árboles de la orilla del río. Tom estaba indeciso, sabiendo que el señor Stones se enfadaría si no volvía enseguida con sus compañeros. Finalmente, respirando con fuerza, se adentró entre los árboles.

No veía al hombre, pero en el interior del bosque se oía un crujido de ramas. Procurando no hacer ruido, se adentró entre unos arbustos y encontró el rastro de unas pisadas en el barro. Sorteaba arbustos y matorrales, atravesando zonas arboladas y algunos grandes claros. Una brisa fría llegaba del río, moviendo las hojas sobre su cabeza.

De pronto, algo golpeó el agua.

Tom se sobresaltó, pero vio que era un

pato que se había lanzado al agua verdosa y sucia. Aunque intentó sonreír, el corazón le latía con fuerza; deseaba volverse, pero por el momento no podía hacerlo.

Siguió adelante, orientándose por el ruido de las pisadas. Estaba rodeado de verdor, brillante donde la luz del sol alcanzaba a acariciar las hojas, y oscuro donde los arbustos estaban a la sombra; por todas partes se veían racimos de bayas de color rojo fuerte.

Las pisadas se detuvieron.

Por un momento creyó que le habían descubierto. Luego vio una figura que se movía más allá de los árboles que tenía delante; era el hombre del mechón, que subía una cuesta cubierta de hierba y se dirigía hacia un grupo de viejas viviendas. Llegó a una puerta abierta y entró. Tom tomó algunas notas sobre aquellas viviendas. Constaban de varios pisos; había manchas de humedad en las sucias paredes amarillentas, y multitud de hierbajos crecían en los canalones de desagüe del agua de lluvia. Un gran sauce llorón ponía un toque de gracia al conjunto, aunque más allá se veía un coche abandonado, sin ruedas.

Tom tensó los músculos y subió la cuesta.

80

Sus pies resbalaron en la hierba, pero no tardó en llegar junto a la puerta.

Unas escaleras de madera que subían en espiral penetraban en la lóbrega oscuridad. Tom apoyó una mano en la barandilla y se llenó de suciedad; de la pared desconchada colgaban trozos de pintura reseca. Por un instante recordó la elegante belleza de la Cámara Legislativa. Luego hizo un esfuerzo y comenzó a subir.

En el primer descansillo había una puerta de madera con el número 1 pintado en color marrón. Con sumo cuidado, Tom apoyó la cabeza contra la puerta, esperando oír voces.

Nada.

Arriba había otras puertas. Mientras subía, las pisadas vacilantes de Tom resonaban en medio del silencio; un pálido reflejo de luz del sol, que provenía de una ventana muy sucia, le descubrió una mariposa muerta, atrapada en una telaraña.

Se oía música en el piso de arriba. Tom pudo escuchar parte de una canción, que se interrumpió de repente.

—Eso está mejor —dijo un hombre—. Detesto tus discos, así que no los pongas cuando yo esté aquí.

—No es motivo para que seas tan antipático, Harlan —dijo una mujer—. No olvides que voluntariamente me hice cargo de este piso.

—Eso no me interesa. Ahora, dime dónde has dejado la compra.

Hubo un silencio, y luego la voz de la mujer resonó más cerca.

—Siento ser tan inútil, pero ya sabes que no puedo subir cajas.

Tom dio la vuelta, buscando un sitio para esconderse. Se pegó a la pared, justo antes de que se abriera la puerta; segundos después oyó unos pasos que bajaban la escalera.

La música comenzó a sonar de nuevo. Decidido a echar un vistazo dentro, Tom se acercó a la puerta del piso y llamó.

—¿Quién es? —preguntó la mujer.

—Traigo un mensaje para Harlan.

La puerta se entreabrió sólo lo justo para mostrarle unos ojos castaños oscuros, un rostro moreno y un pelo negro largo. Tras un instante de indecisión, el rostro se animó con una sonrisa.

—¡Si eres un muchacho! Entra.

La puerta se abrió de par en par y Tom vio que se trataba de una joven *cree*. La india le extendió la mano.

—¡Hola! Yo soy Annie «Cielo que habla».

—Mi nombre es Tom.

—Harlan no tardará.

Mientras Annie se dirigía hacia la cocina, Tom observó que caminaba con cierta dificultad. Sus articulaciones parecían estar rígidas y dio un traspiés.

—¿Quieres tomar algo?

—No, gracias.

Annie puso un poco de pan en una tostadora y cogió un frasco de café instantáneo.

Junto a él, en la repisa, había una nota que decía: *Annie, dile a Harlan que llegaré el sábado a primera hora. Lee.*

Con una mezcla de excitación y temor, Tom recordó haber oído el nombre de Lee en la furgoneta del secuestro. ¡Ahora sí que progresaban sus investigaciones!

La tostadora crujió y saltaron dos tostadas. Annie extendió mantequilla sobre ellas, con una mano que temblaba ligeramente.

—Tengo que irme —dijo Tom, preocupado ante la idea de que Harlan pudiera regresar de repente.

—Aún no. Es muy aburrido estar sola en este piso; me encantaría charlar un rato contigo.

—De acuerdo, pero sólo un momento.

Annie pasó a una habitación de muebles descoloridos y se sentó en una mecedora de madera.

—¿A qué has venido, Tom?

El se acercó a la ventana abierta y miró hacia abajo, observando el río y el bosque para tranquilizarse.

—Como le dije, traigo un mensaje para Harlan.

—¿Cuál es el mensaje?

84

—Bueno. Es confidencial.

—¿De quién es?

Tom concentró su mirada en el paisaje exterior, sintiendo que el sudor humedecía su piel.

—De Lee.

—¡Ah!

Tom observó a Annie; ésta mordisqueaba una tostada y nada hacía suponer que sospechara algo.

—Si no viene Harlan —preguntó, forzando la voz para que pareciera natural—, ¿donde podría encontrarle?

—Quizá en Monarch. Creo que se aloja a veces en una granja que hay junto al río; o quizá lo encuentres en la ciudad.

—¿Monarch? ¿No es allí donde las Industrias Dorchester inauguran mañana la fábrica de agua pesada?

—No, si DEMON hace algo.

—¿Qué quiere decir?

La joven parecía un poco azorada, como si comprendiera que había dicho algo que no debía; luego sonrió.

—Bueno, sólo son suposiciones, pero estoy segura de que DEMON intentará evitar la inauguración de la fábrica.

—¿Por qué?

—Por el riesgo que entraña un escape de gas y porque DEMON es enemigo de Dorchester.

Tom se sentó en el sofá y miró indiferente a Annie.

—¿Quiere usted que DEMON derrote a Dorchester?

—¡Desde luego que sí! ¡Odio a ese hombre!

El imprevisto tono de rencor de su voz sorprendió a Tom. La joven era demasiado bonita como para suponer que pudiera estar implicada en las actividades de DEMON. Aunque también pensó lo mismo de Red Smith. Si él pudiera demostrar que Annie era una terrorista, conseguirían arrestar a los demás y liberar a Dianne.

—¿Por qué apoya usted a DEMON?

Annie le mostró sus manos.

—¿Ves cómo me tiemblan?

—Sí.

—Yo soy de White River, donde las Industrias Dorchester han estado vertiendo mercurio al río. Aunque nadie lo sabía, el pescado que comíamos estaba contaminado con mercurio.

—¿Quiere decir que usted padece el mal de Minamata?

Ella asintió.

—Corro el riesgo de quedarme ciega e incluso de morir.

Tom se quedó mirándola.

—¿Pero no pueden hacer nada los médicos?

—No hay cura —dijo ella con una sonrisa triste—. Así que ya ves lo que las Industrias Dorchester nos han hecho, a mí y a muchos de los míos.

—Es algo terrible. ¿Por qué no demandan al señor Dorchester?

Annie se rió.

—Eso es lo que mi padre está intentando hacer. Inició el proceso hace dos años y aún está en los primeros pasos. Las Industrias Dorchester tienen medios para prolongar el caso todo lo que quieran, y por eso hay que tomar otras medidas.

—¿Como poner una bomba en la fábrica?

Ella asintió.

—¿Pero qué pasa con los obreros? Muchos podrían haber resultado heridos.

—Se les avisó —Annie se inclinó hacia adelante—. Puede parecer equivocado, Tom,

87

pero ¿qué otra forma hay de evitar que Dorchester contamine toda la región?

—No lo sé —dijo Tom apesadumbrado. Todo hacía suponer que Annie formaba parte de DEMON, pero aquel descubrimiento sólo consiguió entristecerle más.

—¿Y qué me dice de Dianne? —dijo al rato.

—¿Quién?

—Dianne Dorchester, la chica que secuestraron.

—Estoy segura de que está bien.

—¿Por qué la raptó DEMON?

—No lo sé. Al principio pensé que querrían una buena cantidad de dinero, pero parece que no es ése el motivo. De todas formas, yo sólo sé lo que dicen los periódicos.

¿Estaría mintiendo? Tom observó sus ojos castaño oscuro. A pesar de su aspecto inocente, no había duda de que ella había participado en el atentado con la bomba en la planta de White River.

Se oyó un ruido metálico y Annie miró hacia la puerta.

—Ese es Harlan. Siempre le cuesta trabajo meter la llave en la cerradura.

Salió con paso vacilante de la habitación. Tom se levantó de un salto, buscando dónde

88

esconderse; el único sitio que había era detrás del sofá, pero Harlan lo encontraría allí enseguida.

¿Qué hacer?

Corrió hacia la ventana. Estaba muy alta y corría el riesgo de lesionarse, pero aquello quizá fuera mejor que enfrentarse a Harlan.

A su derecha vio el techo de un porche, justamente debajo de la habitación contigua. Se volvió rápidamente y corrió al vestíbulo.

El hombre del mechón blanco entraba en aquel momento en la habitación, llevando una gran caja de cartón. Esta vez pudo verle perfectamente el rostro y supo, sin lugar a dudas, que era la misma persona que había disparado sobre Red.

—¡Eh! —dijo el hombre—. Tú eres el entrometido que estaba con Dianne y, luego, sentado en el tren junto a Red.

—No —dijo Tom, retrocediendo de espaldas—. No. Usted debe referirse a otro.

—¿Qué estás haciendo aquí?

—Nada —dijo Tom, con una voz que más parecía un susurro—. Me he equivocado de piso.

Annie parecía sorprendida.

89

—Pero, Tom, ¿no traías un mensaje para Harlan?

Tom movió la cabeza.

—¿Harlan? No. Yo quería decir otra persona.

Harlan miró a Annie y luego a Tom.

—No te muevas, muchacho. Quiero hablar contigo.

—No puedo entretenerme ahora. Me espera mi profesor.

—¡He dicho que no te muevas!

Harlan se agachó para dejar la caja en el suelo. Al mismo tiempo Tom miró a su derecha y vio un amplio dormitorio con una ventana abierta. ¿Estaría el porche bajo aquella ventana?

Rápidamente se metió en el dormitorio y cerró de golpe la puerta, que atrancó con un sillón, y se dirigió hacia la ventana.

Como si se tratara de una pesadilla, pareció tardar una eternidad en cruzar la habitación. La puerta golpeó contra el sillón, Harlan juraba enfadado y la madera crujió cuando golpeó su hombro contra ella.

Tom pasó sus piernas por el alféizar de la ventana en el momento en que Harlan irrumpía en el dormitorio. Los ojos negros y furiosos del hombre le miraron desde el otro extremo de la habitación.

—¡Vuelve aquí, chico!

—No —dijo Tom con voz débil.

Annie entró en la habitación.

—¿Quién eres tú, Tom? ¿Por qué me has mentido?

—No he mentido, Annie. Tenía que decirle una cosa a Harlan.

—¿Qué es?

Tom miró a Harlan, que respiraba con fuerza mientras una vena latía en su sien; era evidente que se preparaba para cruzar de un salto la habitación.

—Escuche, Harlan. Conozco todo lo referente a usted y a Lee. Sé que ustedes son los jefes de DEMON, así que no pueden...

Tom no llegó a terminar la frase. De repente Harlan cruzó la habitación y Tom saltó sobre el techo del porche. Tenía que llegar al bosque.

Se acercó al borde del porche, se puso de rodillas y se agarró al canalón del agua. Cedió éste con su peso y se desprendió de la pared. Tom notó un vacío en el estómago al caer hacia adelante, y dio un grito antes de llegar al suelo.

Se tambaleó, luchando por mantener el equilibrio. Harlan se disponía a lanzarse sobre él; Tom lo miró durante un instante, esperando que desistiera de la caza, y luego echó a correr hacia el bosque. Cuando las ramas se cerraron tras él, pensó que ya estaría a salvo. Pero eran demasiado delgadas para ocultarle del todo y nunca llegaría al edificio de la Legislación teniendo tras él, tan cerca, a Harlan.

Debía esconderse.

Pero ¿dónde? Por un momento consideró la posibilidad de subirse a un árbol; miró hacia el río. Allí había un árbol caído; su tronco era lo suficientemente grueso como para ocultarle.

Mientras corría desesperadamente por entre los matorrales, sintió en su piel los arañazos de algunas ramas espinosas; atravesó un claro del bosque y llegó a la orilla del río. Saltó al otro lado del tronco y se dejó caer jadeante en el suelo.

«No pierdas la serenidad», se dijo a sí mismo.

Oyó el chasquido de unas ramas, que procedía del bosque. Luego, al ruido de las

92

ramas siguió el ronco jadeo de Harlan, que trataba de recuperar el aliento.

—¡Es inútil que te escondas, chico!

Su voz sonaba tan cerca que los nervios de Tom se estremecieron.

—No tengas miedo. Sal para que hablemos y luego te podrás ir con tu profesor.

Tom observó el tronco del árbol, que era lustroso donde le faltaba la corteza. Percibió el alegre piar de un pajarillo en el bosque, seguido de un revoloteo de alas.

—Muy bien. No tardaré en encontrarte.

Chasquearon de nuevo las ramas porque Harlan reanudó su búsqueda por el bosque. Cuando el ruido se alejó, Tom sacó con cuidado la cabeza.

La luz del sol se filtraba entre los árboles; una hoja seca cayó, balanceándose en la suave brisa. No se percibía ningún otro movimiento. ¿Habría abandonado Harlan la búsqueda?

La esperanza invadió momentáneamente a Tom, pero enseguida volvió a oír el ruido de ramas pisadas. Harlan regresaría pronto y buscaría detrás del tronco.

Tom miró hacia el río. Un sauce llorón se inclinaba sobre él y sus numerosas ramas se movían con la corriente. Las tupidas hojas del árbol le proporcionarían un buen escondrijo.

Rápidamente escondió los zapatos, los calcetines y los vaqueros bajo el tronco. Los tapó con hojas secas y se introdujo en el agua sucia del río.

Estaba muy fría y una espesa capa de lodo se adhirió a sus pies. Unas hierbas verdes y viscosas le arañaron mientras se dirigía hacia el sauce, donde permaneció oculto por sus ramas y con el agua hasta el pecho.

Harlan llegó al claro del bosque. Se acercó al tronco caído, miró tras él y se alejó. Tom se sentía satisfecho de haberle engañado, pero su alegría se esfumó al darse cuenta de que no podría permanecer mucho tiempo dentro de aquella agua tan fría. No tendría más remedio que volver a la orilla, donde le aguardaba Harlan.

Tom pensó que debería entregarse, pero se acordó de que Harlan había intentado matar a Red y que, (por tanto,) era poco probable que quisiera limitarse a charlar, como le había dicho.

Una ráfaga de aire movió la superficie del agua. Tom observó las ondulaciones y luego miró hacia la otra orilla. No era una distancia muy grande y ya había atravesado anteriormente el río a nado, pero nunca con el cuerpo atenazado por el miedo. Dudó un momento y luego recordó la feroz mirada de Harlan.

Comenzó a nadar. Enseguida se animó al sentir en su rostro la caricia del sol y sabiendo que cada brazada, cada golpe de sus pies, le acercaban más a la salvación.

Pero, ¿qué pasaría si le veía Harlan?

Aunque Tom intentaba apartar ese pensamiento de su mente, no veía el bosque y, por tanto, se sentía indefenso. Nadó con más energía, pero el miedo se convirtió en pánico y se detuvo para mirar hacia atrás.

Le separaba ya una buena distancia del sauce. En la orilla vio a Harlan con algo entre las manos. Luego, levantó ambas manos en dirección a Tom; cerca de él saltó un chorro de agua.

Harlan bajó las manos, miró a Tom y las alzó de nuevo. Al ver saltar el agua otra vez junto a él, Tom recordó que a Red le había disparado con una pistola provista de silenciador, y cayó en la cuenta de lo que estaba sucediendo.

Una mariposa blanca revoloteó alrededor de su cabeza. Con un esfuerzo desesperado de sus brazos, Tom se sumergió bajo el agua.

En el silencio que le rodeaba, vio algo que cortaba el agua dejando una estela de pequeñas burbujas. Comenzó a bucear a favor de la corriente, dejando que ésta le alejara rápidamente del lugar.

Al poco rato comenzaron a dolerle los pulmones; parecía que iban a estallar dentro de su pecho. Intentó olvidar el dolor, pero no tuvo más remedio que sacar la cabeza para poder respirar.

Cuando emergió, el sol formaba reflejos plateados en la superficie del agua. Hizo una inspiración profunda y se sumergió de nuevo, desviándose un poco en dirección a la orilla.

Repitió la operación dos veces más, hasta que, por fin, sintió que sus dedos tocaban unas hierbas y fango. Sacando con cuidado la cabeza por encima de la superficie, miró al otro lado del río.

No le resultaba conocido y pasó un rato hasta que comprendió lo lejos que le había llevado la corriente. Localizó finalmente el sauce, pero no había rastro de Harlan.

Tiritando de miedo y de cansancio, salió del río, resultándole difícil creer que estaba a salvo.

7

AUNQUE Tom avisó inmediatamente a la policía, Harlan consiguió escapar.

Sin embargo, no se preocupó de llevarse a Annie «Cielo que habla» y ésta fue arrestada. La joven no opuso resistencia al interrogatorio de la policía y admitió enseguida su relación con DEMON. Confesó que colaboró con los terroristas para poner la bomba en la fábrica de White River, pero juró que no sabía nada acerca del secuestro de Dianne.

La policía estaba haciendo todo lo posible por encontrar a Dianne, y también Tom investigaba por su parte. Como al día siguiente era sábado, inició temprano sus pesquisas. Después de un largo recorrido en un autobús urbano llegó al campo y se dirigió andando por un camino vecinal hasta las inmediaciones de Monarch, donde empezó sus investigaciones. Ahora se encontraba entre unos altos arbustos y el suelo temblaba bajo sus pies.

Cerca de allí un semáforo obligó a detenerse a un solitario automóvil. El temblor creció más y más y se mezcló con el rugido amenazador de un larguísimo tren de mercancías que procedía del oeste; las tres máquinas que lo arrastraban despedían espesas nubes de humo negro y el tren pasó velozmente cerca de él.

Tom se quedó mirándolo hasta que sólo fue un pequeño punto en el horizonte. Dándose cuenta de que el tiempo pasaba, sacó su cuaderno de notas para repasar la descripción de las casas que había encontrado cerca del río.

Había estado investigando sin éxito en aquellas casas, buscando algún rastro de Harlan. Recordó lo que le había dicho Annie, que se albergaba a veces en una granja junto al río, en Monarch, y lo que los secuestradores habían comentado en la furgoneta, acerca de reunirse con su jefe en un lugar junto al río. Ahora se dirigía hacia la ciudad, para ver si le encontraba allí.

El cielo estaba cubierto de negros nubarro-

nes. De cuando en cuando se oía un trueno y brillaba algún relámpago aislado. Un fuerte viento se desató mientras Tom caminaba por el sucio camino; a ambos lados se extendían, por la pradera, inmensos sembrados de color pardo; frente a él se alzaba el esbelto campanario de una iglesia, que sobresalía por encima de las casas de Monarch.

Se veía un coche destartalado junto a una casa que, evidentemente, necesitaba ser pintada. La siguiente casa junto a la que pasó Tom era del mismo estilo que la primera, al igual que la tercera. Se adivinaba así por qué creía el señor Dorchester que su fábrica de agua pesada beneficiaría la economía del pueblo. Quizá le sorprendiera comprobar que a los vecinos les interesaba más su seguridad que el trabajo.

Una fila de pequeñas tiendas de madera se alineaba a lo largo de la calle principal. La más cercana exhibía una bandera descolorida, desgarrada por el viento, en la que se leía: *Tienda de Comestibles.* Tom abrió la puerta y entró en ella.

—¿Quiere algo?

Una chica estaba sentada detrás del mostrador, leyendo una novela. Tom cruzó el suelo crujiente y se apoyó displicente en el mostrador.

—¿Tiene chicle?

—Cójalo usted mismo —la chica señaló hacia un gran tarro de cristal—. ¿Alguna cosa más?

—Sí, sólo una información —Tom pagó el chicle—. Estoy buscando a un hombre de pelo castaño con un mechón blanco. ¿Lo ha visto usted por el pueblo?

—No.

Tom bajó la voz.

—Puede ser importante.

102

—¡Y a mí qué me importa!

La chica se puso de nuevo a leer. Desconcertado, por su rudeza, Tom salió dando un suave portazo y continuó su camino.

Un hombre vestido de vaquero estaba sentado en una silla junto a una tienda de ropa para hombre; la silla estaba apoyada contra la pared y el hombre parecía dormir bajo su sombrero marrón de alas anchas. Aunque su boca y su cara no se parecían a las de Harlan, Tom observó atentamente su rostro antes de continuar su camino.

El cielo retumbó y una gruesa gota de agua cayó en el polvo de la calle. Al caer otra sobre la camisa de Tom, dejando una marca, apresuró el paso hacia un edificio que tenía un letrero en el que se leía: *Salón de Juegos de Bob*, y entró.

Tom permaneció un instante en la puerta viendo cómo caía el agua de las nubes negras y luego se volvió y observó el interior del salón. Unas cuantas personas estaban sentadas junto al mostrador, bebiendo café y charlando con una camarera; en el otro extremo del salón había unas máquinas electrónicas, mientras que el resto, en penumbra, estaba lleno de mesas de juego.

—¿Quieres algo, chico?

Tom sonrió a la camarera y negó con la cabeza. Cruzó un tramo del salón y se acercó para observar a un chico pecoso que trataba de conseguir una partida gratis en una máquina *Grand-Prix*. Una bola de acero inoxidable rebotaba alocadamente contra unos obstáculos de goma y el chico sonreía con satisfacción, mientras un fuerte *bong, bong, bong* y resplandecientes luces de colores indicaban su puntuación; sólo alcanzó 46.000 puntos.

—¡Mala suerte! —dijo Tom, mientras el chico daba una patada a la máquina—. ¿Quieres un chicle?

—Sí, claro.

Esperó a que hiciera estallar un par de globos y luego le preguntó sobre Harlan. El chico se quedó pensativo cuando escuchó la descripción del hombre y Tom pensó que podría sacarle algo.

—¿Quieres que te invite a una partida?

—Claro.

La máquina se tragó la moneda de Tom y el chico volvió a jugar. Hubo un inesperado crujido al chocar la bola contra el cristal,

104

pero el chico no parecía contento y se enfadó cuando perdió de vista la última bola.

—¡Me voy de aquí! —dijo.

—Espera un momento. Tienes que ayudarme. El tipo al que busco puede estar planeando hacer estallar hoy una bomba en la fábrica de agua pesada.

—Estás bromeando —el chico se quedó mirando a Tom con los ojos muy abiertos—. ¿Se lo has dicho a la policía?

—Claro que sí, pero ese tipo ha desaparecido. ¿Estás seguro de no haberle visto?

El chico frunció la frente mientras pensaba, pero acabó negando con la cabeza.

—No puedo recordarlo. Dime, ¿qué pasará con el primer ministro Jaskiw y su mujer? ¿Saltarán por los aires?

—No creo. He oído en la radio que vendrán desde Winnipeg en un helicóptero que tomará tierra dentro del recinto de la planta. Nadie podrá evitar el sistema de seguridad e introducir una bomba dentro de la fábrica, pero Harlan habrá pensado colocarla por allí cerca.

—Me voy. A lo mejor puedo ver algo.

El chico se marchó del salón de juegos. Lamentando haber desperdiciado su dinero,

Tom dirigió su mirada a la gente que estaba en el mostrador, dudando a quién interrogar acerca de Harlan. En ese momento entró en el salón una racha de viento, al abrir la puerta un hombre alto.

Tom dio un brinco al reconocer al señor Stones.

El profesor se quedó junto a la puerta, parpadeando para adaptar la vista a la oscuridad interior, y luego se acercó al mostrador y se sentó. Con el corazón latiéndole con fuerza, Tom buscó un sitio por donde escapar, pero la única salida era la puerta.

Procurando no ser visto, se dirigió hacia ella con cuidado. Casi estaba a salvo, cuando la camarera se dirigió a él.

—¡Eh, chico! ¡Que te olvidas tu bolsa!

Tom vio una bolsa de papel sobre una de las máquinas y negó con la cabeza.

—No es mía —dijo.

El señor Stones se volvió en su taburete.

—¡Tom Austen! Ya me parecía que era tu voz.

Tom procuró sonreír, lamentando no haber podido escapar. Ahora le regañaría por haberse marchado de la Cámara Legislativa.

—Parece usted un detective, señor.

106

—Ven aquí —dijo, haciendo una señal con la mano.

Lentamente y con cara de circunstancias, Tom se acercó al mostrador y elevó la vista hasta los oscuros rasgos del rostro del profesor.

—Mire, señor. Créame que ayer quise volver para reunirme con el grupo. Pero estuve siguiendo a un tipo hasta uno de los escondites de DEMON. Luego, me persiguió por el bosque, me disparó y tuve que tirarme al río para salvarme.

El señor Stones movió la cabeza.

—¿Esperas que me crea esa historia?

—Es verdad, señor Stones. Pregúnteselo a la policía.

El profesor observó la cara de Tom y señaló hacia un taburete.

—Siéntate y te invitaré a un batido. Si tu historia es cierta, no pasará nada; pero si es falsa, te vas a tener que quedar durante mucho tiempo en la escuela, después de las clases.

Sintiéndose mejor, Tom se sentó frente al mostrador y examinó una colección de antiguas botellas de gaseosa, mientras el señor Stones encargaba los batidos. A continuación, el profesor se volvió a Tom y le miró fijamente a la cara.

—Dime la verdad, Tom. ¿Es cierto que descubriste un local de DEMON?

Tom asintió.

—Lo llevaba una mujer llamada Annie «Cielo que habla», y se utilizaba como lugar de reunión de los dos jefes de DEMON, Lee y Harlan.

El señor Stones le miró sorprendido.

—¿Has dicho Lee?

—Sí, señor. ¿Le dice algo?

El señor Stones tragó saliva varias veces. Comenzó a hablar, se detuvo y dio las gracias a la camarera que se acercaba con los batidos.

—Gracias, señorita. Tienen un aspecto tentador.

Ansioso por seguir preguntándole, Tom aguardó impacientemente a que el señor Stones sacara el dinero de su bolsillo. Por primera vez se fijó en que el señor Stones llevaba botas de cuero, vaqueros y una camisa de cuadros; a excepción de la insignia con la frase *Bombas de neutrones, no*, que llevaba siempre, su vestimenta era siempre flamante, por lo que la de hoy resultaba

108

chocante. Sintiéndose un poco avergonzado por su profesor, Tom se volvió para mirar una antigua botella, de grueso vidrio de color marrón.

Después de pagar a la camarera, el señor Stones siguió preguntando.

—Me resulta difícil creer tu historia, Tom. ¿Por qué no ha salido en los periódicos?

—La policía prefiere guardar silencio. Esperan atrapar hoy a Lee y a Harlan.

Los ojos del señor Stones se abrieron.

—¿De verdad? ¿Qué planes tienen?

—No lo sé, señor. Tienen la descripción que yo les di de Harlan, así que probablemente lo estarán buscando a la entrada de la fábrica.

—¿Qué sabe la policía de Lee?

—Nada en absoluto.

—¿Estás seguro?

—Sí, señor.

Evidentemente, al profesor le preocupaba algo. Se pasó una mano por su fino cabello castaño y a continuación hizo chasquear sus nudillos, uno a uno, mientras miraba por la ventana con expresión preocupada.

Tom empezó a sospechar que estuviera relacionado de alguna forma con Lee.

—¿Sabe usted algo de Lee, señor?

El señor Stones no parecía escuchar. Miró a Tom sin verle, cogió su batido y lo bebió de un trago. Después de secarse la boca, se bajó del taburete y se dirigió hacia la puerta.

—¡Eh, señor Stones! ¡Espéreme!

Tom cogió su batido e intentó bebérselo, pero el profesor estaba ya fuera y se le veía cruzar apresuradamente la calle. Tom salió corriendo y sintió en su cara las últimas gotas de la tormenta que se alejaba.

El señor Stones estaba poniendo en marcha su coche, y al ver que Tom corría por la calle haciéndole señas, bajó la ventanilla.

—¿Qué pasa, Tom?

—¿Dónde va usted?

—De vuelta a Winnipeg.

—¿Por qué?

El profesor se rió forzadamente.

—No paras de hacer preguntas, Tom, pero no dispongo de tiempo para contestarte. Tengo algo más importante que hacer.

Convencido de que el señor Stones tenía algo que ver con Lee, y seguro de que era una pista mejor que andar por ahí en busca de Harlan, Tom se dirigió a la puerta e hizo señas al señor Stones para que le abriera.

110

—Gracias —dijo subiéndose—. Me viene muy bien que me lleve de regreso a Winnipeg.

El profesor metió una marcha y comprobó con cuidado el tráfico antes de arrancar. Sus manos se aferraban al volante con tanta fuerza que sus nudillos estaban blancos. Tom se preguntó por qué estaría tan tenso.

—¿Le pone nervioso conducir, señor?

El profesor asintió y pisó el freno al tiempo que un caballo salía galopando de una calle lateral; la chica que lo montaba hizo un gesto de agradecimiento al señor Stones y desapareció.

—¿Has visto? —exclamó, temblándole las manos—. En Winnipeg la gente no monta a caballo por la calle principal. En esta ciudad están locos.

Tom sonrió.

—Por cierto, señor, ¿cómo es que está usted hoy en Monarch?

El profesor miró a Tom y luego volvió a mirar la calle.

—Preguntas demasiadas cosas, Tom.

—Lo siento —dijo Tom, ruborizado.

Poco después salieron de Monarch y sólo divisaban extensos campos y el cielo. Un pájaro blanco se elevó en el aire, giró hacia

111

un lado y regresó planeando con las alas extendidas; no había ningún otro signo de vida.

El señor Stones aclaró la garganta.

—Por cierto, Tom, ¿qué estabas haciendo tú en Monarch?

Tom permaneció en silencio un momento. Miró las paredes de un viejo cobertizo ennegrecidas por el tiempo, dudando lo que debería contestar al señor Stones. Al fin decidió facilitarle alguna información y observar su reacción.

—Estaba merodeando por el pueblo porque Annie me dijo que quizá encontrara a Harlan en Monarch. Esta mañana pregunté en varias granjas cercanas al río.

—¿Conseguiste enterarte de algo?

—No —dijo Tom—, pero me pasó una cosa rara. Me pareció ver a la señorita Ashmeade.

El señor Stones frunció el ceño.

—¿Qué?

—Yo subía por el sendero de una casa y estoy seguro de haber visto a la señorita Ashmeade en una ventana del piso superior. Luego, desapareció, y aunque llamé a la puerta no contestó nadie.

112

—¿Qué pasó entonces?

—Pues nada, que me marché. Probablemente se trataba de otra mujer, y no querría que la molestaran; pero se parecía a la señorita Ashmeade.

El señor Stones pareció aferrarse con más fuerza al volante. Estuvo callado durante unos minutos y luego aproximó el coche a un lado y se detuvo.

—¿Dónde está esa casa? —preguntó con una voz que era casi un susurro.

—Junto al río —contestó Tom, asustado del súbito cambio que se había operado en su profesor—. ¿Por qué? ¿Pasa algo malo?

—Tom, deja de hacer preguntas y llévame a esa casa.

Tom dudó un instante si estaría seguro junto al señor Stones. Se había apoderado del profesor una emoción intensa, que hacía que se notaran aún más las arrugas que tenía alrededor de los ojos, lo que le daba un aspecto alarmante, pero Tom pensó que aquello significaba que estaba a punto de descubrir algo importante.

—Siga aquel camino —dijo señalándoselo—. Cuando lleguemos al río, tuerza a la derecha.

113

El profesor condujo en silencio, concentrándose en permanecer en el centro de aquel estrecho y enfangado camino, mientras sus labios se movían en silencio. Tom deseaba saber por qué había ido a Monarch y qué era lo que le había disgustado tanto; pero, por ahora, el coche precisaba toda la atención del señor Stones.

Ante ellos surgió la silueta de la fábrica de agua pesada. Gotas de sudor aparecieron en la frente del señor Stones cuando vio que el camino estaba atestado por los que habían estacionado sus coches y se dirigían hacia la fábrica con pancartas y distintivos. Tom echó una rápida mirada a los manifestantes y a los guardias de seguridad que había fuera de la fábrica, y luego volvió a mirar a la carretera.

El señor Stones consiguió pasar entre la gente, y un minuto después Tom indicó un camino lateral.

—Gire ahí, señor. Es aquella casa que hay en dirección al río.

El coche giró, y empezó a saltar arriba y abajo al entrar en un camino lleno de baches que conducía hasta la casa. Llegaron a un lugar tranquilo donde nada se movía excep-

114

to la hierba muy crecida, que se agitaba con
el viento. Una contraventana golpeaba contra el muro de la casa y, a lo lejos, se oyó el
silbido de un tren.

Tom sintió un escalofrío al ver a su alrededor aquellos campos vacíos.

—¡Qué solitario está esto, señor Stones!

El señor Stones no contestó. Observó las
ventanas negruzcas y las paredes de madera
de la casa, y a continuación subió los escalones que llevaban al porche. Trató de mirar
dentro de la casa y luego llamó a la puerta.

—Eso hice yo —dijo Tom—. Ya verá cómo
no contestan.

El señor Stones no hizo caso a Tom y
llamó de nuevo. El viento azotó con furia la
casa, obligando a encorvarse al profesor y
golpeando las contraventanas contra la pared. Cuando pasó la racha de viento, el señor
Stones cerró un puño y aporreó la puerta.

—¡Sé que la señorita Ashmeade está ahí
dentro! —gritó—. ¡Abran la puerta o llamaré a la policía!

Silencio. Tom temblaba. ¿Qué sucedería?

El señor Stones golpeó de nuevo la puerta
y luego intentó accionar el pomo. Moviendo
la cabeza, bajó los escalones para reunirse

115

con Tom. Estaba a punto de decir algo, cuando se abrió la puerta y apareció la señorita Ashmeade en el porche.

—¡Hola, John!

El señor Stones se volvió sorprendido y contento. Enseguida frunció el ceño y dio unos pasos hacia la señorita Ashmeade.

—¿Qué ha pasado? —preguntó.

—Lo siento. Perdóneme.

Aunque la señorita Ashmeade sonreía, sus facciones estaban crispadas. Tom intentó ver algo en la penumbra que había más allá de la puerta, pero no distinguió nada. Sintió escalofríos, dándose cuenta de que algo grave sucedía.

—Tengo que hablar con usted —dijo el señor Stones.

—No puedo ahora, John. Lo veré el lunes en la escuela.

—Ya será tarde.

El señor Stones subió los escalones y el tamaño de su cuerpo impidió a Tom ver a la señorita Ashmeade. Tras una breve charla entraron en la casa.

Tom los siguió rápidamente. Atravesaron el vestíbulo y pasaron a una habitación en la que había unos sillones y un sofá. Una

116

ventana daba al porche; por otra se veía el campo y, a lo lejos, la fábrica de agua pesada.

Mientras la señorita Ashmeade cerraba la puerta, Tom notó una especie de zumbido procedente del techo. Alzó la vista y vio una tira de papel marrón desenrollada en forma de espiral, en la que unas moscas luchaban desesperadamente por escapar de su pegajosa prisión.

—¿Aquí pasa usted los fines de semana, señorita Ashmeade?

En lugar de contestar, miró al señor Stones con ojos preocupados. Tom cogió una novela de una mesa y vio el marcador del libro con las iniciales L. A.; luego la dejó de nuevo sobre la mesa.

El señor Stones se aclaró la garganta y se pasó una mano por el pelo.

—Tengo que aclarar unas cuantas cosas —dijo a la señorita Ashmeade—. La primera de todas, por qué me dio un plantón esta mañana.

—Lo siento. No pude evitarlo.

—Pero lo habíamos planeado con todo detalle. Por lo menos, debería haberme avisado.

La señorita Ashmeade se dirigió a la ventana y se quedó mirando fuera.

—Quiero que se marchen los dos ahora mismo. Cojan el coche y váyanse.

—Pero...

—¡Haga lo que le digo, John!

—¡No, no lo haré! —el señor Stones se dirigió al sofá y se sentó—. No me marcharé de esta casa hasta que me explique todo. ¿Está claro, señorita Ashmeade?

A pesar de la tensión, Tom sonrió ante la forma en que su profesor se dirigía a la señorita Ashmeade, llamándola por su apellido. Se preguntaba la razón de ello, porque lo lógico era que, en privado, la llamara por su nombre de pila. Las iniciales L. A. en el marcador del libro eran una pista, y Tom se quedó mirando abstraído la alfombra, mientras pensaba en ello.

¿Luisa? ¿Lucy? ¿Laura...? ¿Lee? Un escalofrío le recorrió el cuerpo, y durante un momento no pudo apartar los ojos de la alfombra. Luego, la señorita Ashmeade se dio la vuelta y la belleza de su rostro disipó sus sospechas. No era posible que una joven tan atractiva pudiera estar relacionada con DEMON.

118

—De acuerdo, John —dijo—. Voy a explicarle por qué no acudí a la cita esta mañana. En el último momento recibí un aviso de que mi madre estaba muy enferma y tuve que salir deprisa para reunirme con ella.

—¿Está su madre en esta casa?

—Sí, está arriba. Por cierto, Tom, esta mañana no contesté cuando llamaste porque no podía separarme de su lado.

Tom asintió, aunque le había vuelto a invadir un frío helado. Recordó que, justamente el día anterior, la señorita Ashmeade había dicho que sus padres estaban en California.

—Bien —dijo el señor Stones—. Eso explica la causa de no acudir a la cita. Pero tengo que hablar de otro tema mucho más serio.

¿Pertenecería el señor Stones a DEMON? Tratando de recuperar la calma, Tom miró hacia la distante fábrica de agua pesada; si pudiera llegar hasta allí, los guardias de seguridad le protegerían.

—Perdone, señor Stones —dijo—. No me encuentro bien. ¿Le importa que me siente en su coche?

El profesor frunció el ceño.

—Tienes muy mal aspecto. ¿Qué te pasa?

119

—Nada —las manos de Tom comenzaron a temblar—. Sólo quiero salir de aquí.

La señorita Ashmeade miró atentamente a Tom y se acercó.

—Es mejor que permanezcas aquí.

—¡No! ¡No me toque!

Tom salió corriendo desesperadamente hacia la puerta. La señorita Ashmeade gritó y salió tras él; Tom abrió la puerta y abandonó la habitación. En el vestíbulo estaba Harlan con una pistola en la mano.

—¿Vas a algún sitio, chico? —preguntó sonriendo.

renunciar - to renounce
vi - to resign

8 apartar - to separate
(quitar) to remove
apartarse - to separate, part;
(irse) to move away; to keep
away

desbaratar - (deshacer; destruir) - to ruin

Tom se detuvo en seco. *stopped dead*

Sabía que Harlan no dudaría en hacer uso *reneged* de la pistola, por lo que renunció a escapar. Temblando de miedo regresó a la habitación.

—¡Aparta esa pistola! —dijo la señorita Ashmeade enfadada.

Harlan negó con la cabeza.

—No me fío de este chico, Lee. Aparece siempre en el momento más inoportuno, tratando de desbaratar nuestros planes. Creo que deberíamos eliminarlo.

El señor Stones se levantó del sofá.

—Si intenta hacerle daño a Tom, tendrá que vérselas conmigo.

Harlan se rió y apuntó con su arma al señor Stones.

—Cierra el pico, manojo de huesos, o te agujereo. *bundle* *bones* *make holes*

121

En lugar de amedrentarse, el señor Stones cerró los puños y se dirigió hacia Harlan. Durante un momento pareció que éste iba a disparar sobre el profesor, pero la señorita Ashmeade se interpuso rápidamente entre los dos hombres.

—¡Quietos los dos! Por favor, John, siéntese o...

El señor Stones la miró un momento y luego volvió al sofá. El viento que entraba por la ventana abierta mecía graciosamente el pelo de la señorita Ashmeade y acariciaba la sudorosa cara de Tom, que miraba a Harlan. Éste estaba colocando con todo cuidado un silenciador en el cañón de su pistola. Con un silbido de satisfacción volvió la pistola hacia el señor Stones y apretó el gatillo.

Apareció un agujero en la pared, justamente detrás de la cabeza del profesor, que no se inmutó.

—Es usted un tipo muy valiente con la pistola en la mano —le dijo a Harlan—. Déjela a un lado y veremos su valentía.

El rostro de Harlan enrojeció de furia y desvió la pistola, que ahora apuntaba directamente al señor Stones. Su dedo acarició el

gatillo, pero la señorita Ashmeade desvió el _turned aside_
arma.

—Ya está bien, Harlan. Te gusta demasiado apretar el gatillo.

—Tú fuiste quien me ordenó disparar contra Red.

—Sí, pero sólo porque podía contarle algo a la policía sobre mis relaciones con DEMON y _spoil_ estropear todos nuestros planes.

Harlan se dirigió a un sillón, con cara de malhumor, sin dejar de apuntar con la pistola al señor Stones. A pesar de la gravedad del momento, Tom se sentía deslumbrado _dazzled_

123

por el valor de su profesor en una situación tan comprometida.

—Así que ya sabemos la verdad, señorita Ashmeade —dijo el señor Stones—. ¡Se ha burlado usted de mí!

Ella hizo un gesto.

—Usted hubiese sido una valiosa ayuda para DEMON, John.

—¿Debido a que mi hermana es fiscal general?

—Exactamente. Usted podría haber sabido a través de ella las acciones que la policía planeaba contra DEMON.

—Empecé a sospechar que usted tenía algo que ver con DEMON cuando dejó caer aquellas insinuaciones sobre la necesidad de un cambio de la sociedad. Luego, Tom me habló de uno de los jefes de DEMON, llamado Lee, pero tenía que saber la verdad antes de ir a la policía.

—No hubiera sido ésa una decisión inteligente —la señorita Ashmeade se sentó en un sillón y sacó un cigarrillo—. El día de hoy marca el principio de una revolución, John. El capitalismo y eso que llaman democracia van a ser destruidos en Canadá, y más tarde en el mundo entero.

124

—¡Qué tontería! Habla como si estuviera chiflada.

La señorita Ashmeade, que estaba encendiendo el cigarrillo, levantó la mirada con ojos encolerizados.

—¡Otro insulto más y dejaré que Harlan le pegue un tiro!

El señor Stones hizo un gesto.

—Me engañó su belleza, señorita Ashmeade. Usted no es más que una soñadora con la cabeza llena de pájaros, que acabará en la cárcel.

—Voy a adelantarle lo que está a punto de ocurrir, señor Stones. Antes de una hora, el primer ministro Jaskiw y el señor James Dorchester van a saltar en pedazos, destrozados por una bomba, ante las cámaras de televisión.

Tom miró aturdido a la mujer, e incluso el señor Stones parecía anonadado por aquella revelación. Hubo un largo silencio y, al cabo, la señorita Ashmeade se echó a reír.

—Una soñadora con la cabeza llena de pájaros, ¿eh? Estoy a punto de eliminar a un odioso capitalista y a un político enemigo del pueblo. Yo diría más bien que soy una realista muy inteligente.

125

El señor Stones negó con la cabeza.

—Con la violencia no conseguirá nada. Si no está de acuerdo con el funcionamiento de la fábrica, diríjase al Gobierno y a los tribunales. Para eso están.

La señorita Ashmeade expulsó humo del cigarrillo por la comisura de los labios.

—¿Y qué me dice de Annie «Cielo que habla»? Su gente acudió a los tribunales y no consiguió nada.

—Todo cambio requiere tiempo. Hoy, la gente es muy impaciente. Podríamos construir un mundo mejor, pero se necesitan ganas para trabajar de verdad por cambiar las cosas, y dejarse la piel hasta concluir la labor emprendida.

Se oyó un estallido y aparecieron dos agujeros en la ventana, mientras caían unos trozos de vidrio al suelo. Todos miraron a Harlan, que bajó la pistola y miró a la señorita Ashmeade.

—Esta charla es muy aburrida, Lee. ¿Cuándo pasamos a la acción?

Ella miró su reloj.

—Dorchester llegará de un momento a otro.

126

—¿Y qué hacemos con este manojo de huesos y con el chico?

—Vamos a dormirlos —se levantó y fue hacia la puerta—. Traeré lo necesario.

Tom sudaba. Miró al señor Stones, esperando que tuviera algún plan secreto contra Harlan, pero la señorita Ashmeade regresó enseguida con una jeringuilla y un frasco con un líquido lechoso. Tras llenar la jeringuilla se dirigió al señor Stones.

—Súbase la manga.

—No.

—Deje el valor para otro momento, señor Stones. Si se niega a cooperar, Harlan disparará sobre Tom.

—¿Matarle? Usted no lo permitirá.

—No, pero un par de balas podrían adornar las manos de Tom, o quizá sus pies.

Sonriendo, Harlan se levantó del sillón.

—En cuanto digas, le daré un poco de plomo al chico —empujó a Tom contra la pared y le acercó la pistola. El metal se hundió dolorosamente en la piel de Tom y su corazón estaba a punto de estallar; pero hizo un esfuerzo para mirar valerosamente a los ojos de Harlan.

—Usted gana —dijo el señor Stones.

127

Visiblemente contrariado, Harlan bajó la pistola, pero continuó sujetando a Tom contra la pared. Mientras la aguja se le hundía en el brazo, el señor Stones miró a la señorita Ashmeade con desprecio.

—Si alguna vez alguien como usted se hace con el poder, nuestro mundo se convertirá en un lugar miserable.

La boca de la señorita Ashmeade se endureció, pero no contestó. Al cabo de unos segundos el señor Stones ladeó la cabeza y se derrumbó sobre un costado en el sofá.

—Estará dormido unas horas —dijo la señorita Ashmeade. Mientras volvía a llenar la jeringuilla, llamaron a la puerta.

—¡Ese es Dorchester!

—¿Qué hacemos con el chico?

—Ya nos ocuparemos de él más tarde.

La señorita Ashmeade dejó la jeringuilla sobre la mesa y salió de la habitación. Harlan mantuvo sujeto a Tom, pero apuntó con la pistola hacia la puerta en el momento en que aparecía el rostro curtido y poderoso del señor Dorchester.

—¡Tom! —dijo—. Así que también te han cogido a ti.

—Sí, señor.

128

—Ese parece el profesor de Dianne. ¿Lo han matado estos canallas?

Harlan emitió un gruñido de furor, y Tom temió por la suerte del señor Dorchester. Pero la señorita Ashmeade hizo un gesto de impaciencia a Harlan y se acercó al industrial.

—Bien, bien —dijo, escupiendo las palabras—. El «gran hombre» ha venido a visitarnos.

—Vamos al asunto —contestó el señor Dorchester—. Me ha costado mucho trabajo despistar a mis guardaespaldas y tengo que volver a la fábrica para recibir al primer ministro, el señor Jaskiw.

La señorita Ashmeade movió la cabeza.

—Se ve que está usted acostumbrado a dar órdenes.

—¡Escúcheme, señora! Si he accedido a venir aquí sin dar parte a la Policía, ha sido porque ustedes me enviaron la foto de Dianne con el mensaje. Pero antes de llegar a un acuerdo quiero ver a mi hija y comprobar que está bien.

—Eso no es ningún problema —dijo la señorita Ashmeade, saliendo de la habitación.

Momentos después apareció Dianne, acompañada de la señorita Ashmeade. Tom apenas podía creer lo cambiada que estaba. Sus ropas estaban sucias; su cabello rubio, desgreñado; su cara, sin vida. Miró primero a Tom, pero pareció no reconocerlo y corrió hacia su padre.

—¡Papá! —dijo, sollozando, mientras el señor Dorchester se arrodillaba para abrazarla—. Por favor, llévame a casa.

La señorita Ashmeade apartó a Dianne y la sacó de la habitación. El señor Dorchester se incorporó rápidamente e hizo ademán de ir tras ella con aspecto decidido, cuando Harlan efectuó un disparo a la pared.

—La siguiente es para usted —dijo, sonriendo fríamente al industrial.

—¡Asesino despreciable! Te las entenderás con la ley.

—Ni lo sueñe.

Cuando regresó la señorita Ashmeade, se dirigió a un armario y cogió un portafolios de cuero. Lo abrió, sacó una hoja de papel y se dirigió al señor Dorchester.

—Cuando el primer ministro Jaskiw se reúna con usted en la fábrica, sacará esta declaración del portafolios y la leerá ante las cámaras de televisión.

—¿Qué dice?

130

—Que usted va a cerrar la planta de agua pesada para siempre, en nombre del pueblo.

El señor Dorchester tomó la declaración y la leyó rápidamente.

—¿Sólo quieren que cierre la planta? ¿Nada más? ¿No piden ningún rescate?

—Exactamente. Yo me llevaré a Dianne a otro sitio y la pondré en libertad después de oírle leer la declaración ante la televisión. Si intenta alguna treta, no la verá nunca más.

El señor Dorchester respiró fuerte.

—Puede confiar en mí. ¿Y qué pasará con Tom?

La señorita Ashmeade dejó el portafolios sobre la mesa.

—Será puesto en libertad junto con Dianne.

Tom miró a la señorita Ashmeade, sabiendo que mentía. Su verdadera intención era matar al señor Dorchester y al primer ministro con una bomba, y Tom debía intentar prevenirle.

—¡Señor Dorchester! —dijo—. Ella...

Harlan le tapó la boca con una mano y le echó la cabeza hacia atrás. Tom trató al principio de zafarse, pero luego lo único que intentaba era respirar, ya que Harlan también le había tapado la nariz. Una horrible

131

oscuridad invadió su mente y su cuerpo parecía flotar; luego, muy lejos, oyó una voz que gritaba. Y cayó al suelo.

—¡Estúpido! —oyó gritar a la señorita Ashmeade—. ¡Has podido matarlo!

—No hacía más que crearnos problemas, Lee.

—Vigílalo, pero no le hagas daño. ¡Es una orden!

De nuevo le taparon la boca a Tom, que miró a Harlan con ojos asustados, convencido de que estaba loco. Sintió cerca de su cabeza las pisadas de la señorita Ashmeade y luego el chasquido de una cerilla.

—¿Un cigarrillo, señor Dorchester?

—Fumar es un vicio repugnante, jovencita.

—Es usted verdaderamente desagradable, señor Dorchester. No me extraña que su hijastro quisiera colaborar con DEMON.

—¿Intervino en el secuestro de Dianne?

—No. El fue una de mis primeras conquistas para DEMON. Abandonó su casa y se cambió el nombre por el de Red Smith. Creía que sólo tratábamos de conseguir dinero y organizar manifestaciones. Cuando le aclaré que teníamos que ir contra la ley para conseguir nuestros objetivos, rehusó. Desde entonces no ha tenido contacto con nosotros.

—Bien hecho.

La señorita Ashmeade aspiró un poco de humo.

—Red rehusó ir contra la ley, pero otros muchos, no. Gente como Annie «Cielo que habla», le odiaban tanto a usted que estaban dispuestos a hacer cualquier cosa por destruir las Industrias Dorchester. Lo que esos infelices no sabían es que yo planeaba utilizarlos para aniquilar a todos los capitalistas y derribar el Gobierno. No estoy satisfecha porque soy consciente de que mi actitud interesada obligaba a unos jóvenes a comportarse irracionalmente. Pero usted era nuestro objetivo y conseguiremos que pierda.

La señorita Ashmeade se rió.

—Le estamos obligando a cerrar su planta de agua pesada, a pesar de que usted había dicho que nada se lo impediría. Como ve, soy más lista de lo que usted cree.

—Ya he perdido bastante tiempo. Déme el portafolios y déjeme que vuelva a la fábrica.

—Una última cosa, señor Dorchester. Harlan irá con usted a la fábrica para asegurarnos de que no nos traiciona. Usted no abrirá el portafolios hasta que el primer ministro

133

Jaskiw se coloque en la tribuna y vaya usted a pronunciar su discurso. Hasta entonces, ni una palabra a nadie acerca del cierre de la planta.

—Entiendo.

Ahora, vaya a su coche y aguarde en él.

—Pero...

—¡Es una orden, señor Dorchester!

El hombre murmuró algo, pero obedeció a la señorita Ashmeade y abandonó la casa dando un portazo. Tom se sintió libre de las garras de Harlan, quien se puso un sombrero y le dio la pistola a la señorita Ashmeade.

—Escucha, Lee, ¿qué pasará si los guardias de seguridad tratan de abrir el portafolios?

—No lo harán, porque lo lleva su jefe. Está todo bien planeado.

—¿Debo esperar hasta que explote la bomba?

—Sí, luego aprovechas la confusión para salir de la fábrica. Yo te recogeré en la carretera. Antes de que la mayor parte de la gente se entere de que Dorchester y el primer ministro están muertos, nosotros estaremos a salvo en nuestro refugio, con los demás.

La señorita Ashmeade se dirigió al arma-

134

rio y sacó un segundo portafolios, idéntico al
que estaba sobre la mesa. Se lo dio a Harlan,
sonriendo.

—Este es para Dorchester. No lo abras si
no quieres saltar en pedazos.

—No te preocupes, Lee. Confía en mí.

Tom vio salir de la habitación a Harlan,
sabiendo que sólo disponía de unos segundos
para prevenir al señor Dorchester de lo que
sucedía. Supuso que la señorita Ashmeade
no utilizaría la pistola, así que aguardó hasta
que ella se volvió hacia la ventana para
mirar a Harlan, que bajaba los escalones del
porche, y entonces escapó hacia la puerta.

—¡Quieto!

Tom agachó la cabeza para protegerse de
alguna bala, y oyó el ruido de la mesa al ser
derribada sobre la alfombra por la señorita
Ashmeade, que corría hacia la puerta. Inter-
ceptada aquella salida, Tom intentó escapar
por la ventana del porche, pero la señorita
Ashmeade se lanzó sobre él y ambos cayeron
al suelo.

De fuera llegó el ruido del motor, cuando
el señor Dorchester puso en marcha su coche. Luchando desesperadamente por libe-
rarse, Tom vio la jeringuilla en el suelo, al

alcanzar - to reach (with hand)
to catch up (with s/o)
to strike, hit (suj: bala)

reached for it

alcance de su mano, y la cogió. Dándose la
vuelta, la clavó en la espalda de la señorita
Ashmeade, que dio un grito de dolor. Tom
presionó con todas sus fuerzas el émbolo de
la jeringuilla y se alejó rodando por la alfombra. La señorita Ashmeade intentó seguirle,
pero sus ojos se cerraron y cayó al suelo.

No tenía tiempo de celebrar su victoria. Se
incorporó rápidamente y salió corriendo al
porche, haciendo señas con ambas manos.

—¡Señor Dorchester! ¡Vuelva!

Pero el coche aceleraba su marcha hacia
la fábrica y el industrial no pudo oír los
gritos de Tom.

vi - to be enough (ser suficiente)
alcanzar a hacer - to manage to do

clavar - to hammer in
to stick, thrust (cuchillo)
to nail (tog)(tablas, etc)

136

9

ahogar - to drown; suffocate; (fuego) put out

TOM regresó corriendo a la casa.

Echó un rápido vistazo a los dos profesores y luego miró hacia el vestíbulo. ¿Dónde tendrían escondida a Dianne?

—¿Dianne? —gritó—. ¿Dónde estás?

Un grito ahogado llegó desde el sótano, seguido de un golpe. Tom bajó corriendo las escaleras del sótano y encontró una habitación cerrada; oyó a Dianne que le llamaba y daba golpes en la puerta.

—¡Todo va bien, Dianne! Voy a sacarte de ahí.

Corrió tres pesados cerrojos y abrió la puerta; durante un momento sólo se preocupó de Dianne, que se abrazó a él llorando, y luego observó la habitación donde había estado encerrada.

Del techo pendía una lámpara con una luz

mortecina que dejaba ver unas grandes manchas de humedad en las paredes. En un rincón había un colchón de colores chillones y un plato con unos huesos de pollo.

No había nada más en la habitación, excepto un olor repugnante que se había adherido al pelo y a la ropa de Dianne. Esta se separó de Tom, secándose las lágrimas.

—Pensé que nunca más volvería a verte. ¿De verdad que estoy libre, Tom? ¿Ha terminado todo?

El asintió, incapaz de articular palabra alguna.

—Estaba muy preocupada por mis padres. ¿Está papá esperando arriba?

Tom había olvidado el peligro que el padre de Dianne corría si no llegaban pronto a la fábrica.

—¡Vámonos! —dijo dando la vuelta. Pero Dianne no se movió.

—Había un ratón —dijo ella.

—¿Qué?

Dianne señaló hacia un agujero.

—Ahí vive un ratón. Le he estado dando de comer estos días.

—¡Dianne, escúchame! Tu padre y el primer ministro Jaskiw corren un grave peligro.

138

Tenemos que ir a la fábrica para prevenirlos.

Los ojos azules de Dianne miraron atentamente a Tom, pero ella no parecía entender.

—¿Qué fábrica?

—¡No importa! Vámonos. Tenemos que salvarlos.

Dianne echó un vistazo a la lúgubre habitación.

—Pensé que no saldría nunca de aquí. Al principio lloré y grité, esperando que alguien que pasara por la calle me oyera, pero después de algún tiempo ya nada parecía importarme.

Tom agarró la mano de Dianne. Al principio se resistió, pero él tiró de ella escaleras
arriba y se detuvo para recoger el portafolios. Puede que lo necesitara para demostrar
al señor Dorchester que le había engañado
con otro idéntico.

—¿Qué les pasa a los profesores? —preguntó Dianne al verlos en el suelo.

—No te preocupes. Pronto estarán bien.

—Tom, ¿por qué ha hecho esto la señorita
Ashmeade?

—Está mal de la cabeza.

Salieron rápidamente al porche. Había un
buen trecho hasta la fábrica y, por un momento, Tom pensó dejar a Dianne, pero
enseguida cayó en la cuenta de que sin ella
no podría cruzar la barrera de seguridad.

—Tom, ¿qué pueblo es éste?

—Esto es una granja, Dianne. Ahora, por
favor, escúchame. La vida de tu padre depen-
de de que lleguemos a la fábrica antes que el
helicóptero del primer ministro Jaskiw. ¿Podrás correr hasta allí?

Dianne se rió.

—¡Te hago una apuesta!

Antes de que Tom pudiera contestar, ya
había bajado ella los escalones y estaba

140

corriendo. Tom no podía comprender aquella actitud animosa ante el peligro, pero se dio cuenta de que la experiencia que había vivido había afectado profundamente a su amiga. Agarró con fuerza el portafolios, bajó corriendo los escalones y se lanzó por el campo.

Dianne se había detenido y estaba arrodillada junto a un macizo. Cuando Tom llegó junto a ella, le señaló una florecilla azul.

—¿No es preciosa?

—Sí, Dianne, pero ahora démonos prisa, por favor.

Corrieron juntos en dirección a la fábrica. De los árboles cercanos llegaban alegres gorjeos de pájaros, y Dianne se fijó en uno grande que cantaba mientras elevaba el vuelo hacia el sur.

—¡Qué bonito es el mundo, Tom! No lo sabes bien.

Llegaron a un terreno surcado por zanjas profundas; a Tom le ardía la garganta mientras corría por aquel accidentado terreno; una racha de viento les arrojó polvo sobre sus rostros; por fin llegaron a la carretera que conducía a la fábrica.

Tom tuvo que detenerse. Se apoyó en un

141

coche que estaba aparcado. Respiraba con
dificultad. Un perro enorme que había dentro del coche saltó ladrando ferozmente y
enseñando sus dientes.

—Es como... —dijo Tom, sin aliento—. Es
como los horribles perros guardianes de tu
padre.

—¿Por qué está papá en peligro?

Antes de que Tom pudiera contestarle, se
escuchó un ruido en el aire y vieron la
silueta oscura de un helicóptero que se dirigía rápidamente hacia la fábrica.

—¡Vamos!

El helicóptero rugió cuando se detuvo
sobre la fábrica. Luego, descendió más allá
de los muros y desapareció de la vista.
Cuando paró el motor, el ruido de éste fue
reemplazado por el griterío de los manifestantes agolpados a la entrada de la fábrica.
Se agitaron unas pancartas. Un grupo corea-
ba: ¡Abajo..., abajo..., abajo Dorchester! Algunos huevos se estrellaron contra los muros
de la planta.

—¿Qué pasa? —dijo Dianne, mirando con
ojos atónitos a un joven que sacó un huevo
de una bolsa de papel y lo arrojó hacia la
puerta.

142

—Opinan que tu padre no instala las medidas de seguridad necesarias.

—¡Eso no es verdad!

Dianne se acercó al joven y le arrebató la bolsa de papel. Empezó a discutir con él enfadada, pero Tom la alejó de allí.

—No perdamos tiempo, Dianne.

—¡No voy a permitir que hablen así de mi padre!

—¡Déjalo para luego!

Sujetando fuertemente a Dianne, Tom se abrió paso entre la multitud, en dirección a la entrada de la fábrica, que estaba protegida por guardias de seguridad con cascos y escudos. Tom trató de encontrar algún rostro conocido entre la fila de guardias y se dirigió al más cercano.

—¡Esta es Dianne Dorchester! —dijo alzando la voz por encima del griterío de la multitud.

Frunciendo el ceño, el guardia se dirigió a Tom.

—¿Qué dice?

—¡El señor Dorchester corre un grave peligro! Tiene que saber que Dianne está a salvo o abrirá el portafolios.

El hombre pareció reconocer a Dianne. Se

dirigió a una caseta cercana y apretó un botón. Mientras aguardaba, el chico del salón de juegos salió sonriente de entre la multitud.

—¡Eh, tú! —le dijo a Tom—. ¡Te has perdido lo mejor!

—¡Que te crees tú eso...!

—Claro que sí. Hace poco llegó Dorchester, y unos cuantos tipos se interpusieron en su camino. ¡Tendrías que haberlos visto! Algunos se tumbaron en el suelo, delante del coche, mientras otros lo zarandeaban, hasta que llegó la policía. Tuvieron que llevarse a rastras a más de cincuenta personas antes de que el coche pudiera entrar en la fábrica.

—¡Qué divertido!

—¡Fue increíble! Creo que ese Dorchester está loco de remate.

Antes de que Tom pudiera contestarle, Dianne cogió un huevo de la bolsa y se plantó frente al chico. Mientras éste la miraba sin saber lo que quería, ella levantó la mano y le aplastó el huevo en la frente. La yema y la clara se extendieron por la cara del chico, que dio un grito, al tiempo que un segundo huevo reventaba sobre su pecho,

144

derramándose en todas direcciones el líquido pegajoso.

El muchacho dio un paso atrás, mirando asombrado a Dianne; ésta cogió un tercer huevo de la bolsa y el chico se alejó corriendo hacia la multitud. Tom vio que el guardia de seguridad les hacía señas desde la caseta y cogió la mano de Dianne.

—¡Vamos!

Se dirigieron rápidamente a la caseta y la puerta ahogó el ruido de los manifestantes. Atravesaron un pequeño vestíbulo y llegaron al patio de la fábrica.

Mientras Tom observaba las tuberías y la maquinaria que se extendían en todas direcciones, el guardia tomó el portafolios.

—Déjame echarle un vistazo, muchacho.

—No hay más que una hoja de papel.

—Aun así, quiero echarle un vistazo.

El hombre lo abrió, miró dentro y se lo devolvió a Tom. Luego observó a Dianne.

—Desde luego, te pareces a las fotos de Dianne Dorchester que han publicado los periódicos, pero vas muy desarreglada para ser la hija del jefe. Es mejor que esperéis aquí hasta que termine el acto de inauguración y luego podréis ver al señor Dorchester.

145

—Para entonces será demasiado tarde —dijo Tom—. Por favor, llévenos adonde se celebra el acto.

—Bueno..., no sé... Los invitados van bien vestidos, no con vaqueros como vosotros.

—¡Por favor!

El guardia miró primero a Tom y luego a Dianne. Estuvo dudando unos instantes y, cuando Tom estaba a punto de escaparse para buscar al señor Dorchester, el hombre asintió.

—Está bien, venid conmigo. A ver cómo os comportáis. Y no os separéis de mi lado.

Aunque sus nervios estaban a punto de estallar de impaciencia y temor, Tom no tuvo otra alternativa que permanecer junto al guardia, que se dirigió pausadamente por un camino de cemento junto al que había gran número de tuberías metálicas; torció a la derecha para tomar un segundo camino y luego un sendero pavimentado. Por todas partes había máquinas y enormes depósitos. De repente dieron la vuelta a una esquina y se encontraron en un gran espacio abierto.

Junto a los muros del extremo opuesto a ellos se veía el helicóptero del primer ministro, con sus enormes aspas metálicas ya paradas. Había algunas cámaras de televisión situadas alrededor del patio, y los invitados se encontraban frente a una tribuna llena de banderas y colgaduras que flameaban al viento. El primer ministro, su mujer y otras personalidades se sentaban en una tribuna metálica y estaban aplaudiendo cortésmente a una mujer que acababa de pronunciar unas palabras.

Cuando el primer ministro regresó a su asiento, el señor Dorchester se dirigió hacia el micrófono. Llevaba el portafolios, y Tom observó la tensión que se reflejaba en su rostro al dejarlo en una mesita que había junto al micrófono y mirar a los invitados.

—Señoras y señores —su voz resonaba amplificada por los altavoces—, voy a leerles un comunicado especial.

Tom salió corriendo.

El guardia de seguridad dio un grito y Dianne le llamó, pero toda la atención de Tom se centraba en el señor Dorchester, que se disponía a abrir el portafolios. Tratando de impedirlo, Tom se detuvo y arrojó su portafolios hacia la tribuna.

Se produjo un murmullo de asombro entre los invitados, y el señor Dorchester se volvió

147

desconcertado cuando el portafolios arrojado por Tom chocó contra el micrófono y cayó al suelo junto a él. Por un instante hubo un enorme silencio, pero enseguida surgió un griterío cuando Tom subió corriendo la escalerilla de la tribuna.

—¡La señorita Ashmeade tenía dos! —gritó al señor Dorchester—. ¡El suyo contiene una bomba!

El hombre parecía confundido y miró el portafolios que había sobre la mesa.

—¿Qué quieres decir?

Tom cruzó corriendo la tribuna, cogió el portafolios del señor Dorchester y luego el otro.

—¿Lo ve? Había dos. Ahora los guardias deben buscar a Harlan.

El señor Dorchester iba a decir algo, cuando vio, atónito, a Dianne, que se dirigía corriendo hacia él. Mientras se abrazaban, Tom escuchó unos pasos tras él. Se volvió y vio a Harlan. Éste arrebató un portafolios de la mano de Tom, dio unos pasos por la tribuna y sujetó a la señora Jaskiw por el cuello.

—¡Retírense o haré estallar la bomba!

El público se dispersó en todas direcciones,

148

y el primer ministro se aprestó a acudir en ayuda de su mujer, pero le detuvo el brillo salvaje de los ojos de Harlan.

—¡Está loco! ¡No se acerquen o matará a mi mujer!

Harlan sonrió alegremente y blandió el portafolios.

—¿Quién es usted? —dijo el primer ministro—. ¿Qué quiere?

—Ordénele al piloto de su helicóptero que me saque de aquí.

—Pero mi mujer...

—¡Haga lo que le digo!

Harlan aumentó la presión de sus dedos alrededor de la garganta de la señora Jaskiw, cuyo rostro enrojeció, al tiempo que forcejeaba para poder respirar. Se produjo un terrible silencio y el primer ministro hizo un gesto a su piloto para que obedeciera. Harlan arrastró a la señora Jaskiw hacia atrás.

Al llegar al borde de la tribuna, Harlan bajó la vista hacia los escalones. En ese momento, Tom le gritó:

—¡La bomba está en este portafolios, Harlan! ¡Voy a hacerla estallar!

Harlan se detuvo y miró desconcertado el portafolios que llevaba.

—¿Qué quieres...?

—¡Ahí viene la policía! —gritó Tom, señalando más allá de Harlan.

El hombre se volvió y no vio nada. Pero la señora Jaskiw consiguió zafarse de él. Harlan trató de agarrarla, pero ella logró llegar junto a su marido y ambos corrieron para ponerse a salvo.

Harlan la vio alejarse y miró a Tom con ojos llenos de odio.

—¡Estúpido! ¡Lo has estropeado todo, pero no me verás en la cárcel!

Mientras Harlan accionaba el cierre del portafolios, Tom se lanzó hacia un lado y cayó de la tribuna. Con un esfuerzo desesperado se ocultó bajo la tribuna y se cubrió la cabeza con las manos. En aquel momento se produjo un destello de luz y un enorme estruendo al explotar la bomba.

10

HARLAN murió en el acto. La tribuna de acero protegió a Tom de los efectos de la bomba.

Cuando contó lo que había sucedido, los guardias de seguridad y los policías se dirigieron a la granja, donde detuvieron a la señorita Ashmeade. La información obtenida al interrogarla permitió llevar a cabo una serie de acciones que acabaron con DEMON.

Dianne se repuso por completo y sus compañeros de clase fueron invitados a una excursión por el río, en un barco de vapor, propiedad de las Industrias Dorchester. Un caluroso viernes por la tarde llegaron en autobús al muelle y subieron al barco por una pasarela de madera.

Tom y Dietmar se habían detenido en el

puente cuando dos fuertes manos los suje-
taron.

—Sólo un minuto, chicos —dijo el señor
Stones—. Antes de seguir adelante, dejadme
que os cuente la historia de los barcos de
vapor.

—¡No, por favor! —protestó Tom—. ¡No
estamos en clase!

—Este barco es una reproducción de aquellos primeros, de ruedas, que abrieron las
puertas del oeste a los pioneros. Fijaos que...

—¡Aguarde, señor Stones! —Dietmar sacó
un paquete de chicles del bolsillo—. Antes de
seguir, tómese uno.

—Bueno, en realidad no debería hacerlo,
pero hoy es un día especial.

El señor Stones se metió el chicle en la
boca y continuó su explicación.

—La gran rueda de paletas es... ¿Qué
demonios es esto?

El señor Stones escupió el chicle en su
mano, lo miró con asco y lo arrojó lejos. Hizo
ademán de hablar, pero se dio la vuelta y se
marchó.

—¿Qué ha pasado? —preguntó Tom.

—El señor Stones cogió el chicle de pega
que compré en una tienda de artículos de

broma. Ahora tiene la boca muy seca, pero estará bien después de veinticuatro vasos de agua.

Riendo, Tom subió unos escalones que llevaban al puente superior del barco. Se detuvo ante el puente de mando para admirar los adornos de bronce, y luego se reclinó sobre la barandilla para observar las fangosas aguas del río Assiniboine, antes de dirigirse a popa.

Dianne le hizo señas desde una de las mesas que habían colocado en la cubierta y Tom acudió sonriente a sentarse a su lado.

—¿Cómo está tu hermanastro?

—Mucho mejor, gracias, pero espantado por el plan de la señorita Ashmeade para matar a papá y al primer ministro.

—Es una auténtica vergüenza la forma en que se aprovechó de gente bien intencionada que sólo querían hacer un servicio a la sociedad.

—¿Pero cómo pudo ocultarles lo que de verdad estaba planeando?

Tom dio un respingo al sonar la sirena del barco.

—Aún tengo los nervios de punta —dijo riendo—. Bien, creo que encomendaba una tarea a cada uno, pero no les decía nada sobre las actividades de DEMON. A Annie «Cielo que habla» le encargó del apartamento, pero no sabía nada de tu secuestro.

—Es una pena que vayan a la cárcel los que actuaron engañados.

El barco comenzó a moverse de repente. Se fue separando del muelle, casi en silencio, y enseguida se escuchó el rítmico golpeteo de la rueda de paletas, situada a popa, que impulsaba el barco hacia adelante. Una brisa fresca acarició a Tom y a Dianne, mientras contemplaban los árboles y casas que desfilaban ante ellos.

Se acercó entonces el señor Stones, que sostenía un gran vaso de agua.

—¿Sabéis dónde se ha metido Dietmar?

Tom negó con la cabeza, haciendo esfuerzos por no reírse.

El señor Stones se sentó dando un suspiro.

—A veces pienso que es más fácil tratar con cocodrilos que con ciertos muchachos. Puede que le encargue a Dietmar que escriba un trabajo sobre la historia de los barcos de ruedas.

Una lancha de motor describió un círculo en el río. Llevaba tras sí una esquiadora provista de chaleco salvavidas. Saludó majestuosamente a la gente del barco y luego dio una vuelta en el aire, en un atrevido intento de dar un salto mortal. Calculó mal y, con un fuerte golpetazo, cayó al agua, formándose una maraña de brazos, piernas y esquíes.

—¡Qué tortazo! —dijo Tom, mirando a la joven, que aspiró aire con fuerza al salir a la superficie—. Espero que no sea ésa la sustituta de la señorita Ashmeade.

El señor Stones tragó un sorbo de agua.

—Me fastidia recordar cómo me engañó esa mujer. Tenía un gran interés en que yo me uniera a DEMON.

—Me parece muy raro —dijo Dianne—. Después de todo, usted no es como mi hermanastro, que siempre estuvo enfrentado a mi padre.

—La razón es ésta —el señor Stones acarició su insignia, que decía: *Bombas de neutrones, no*—. Ella creyó que, al estar en contra de las armas nucleares, tenía también que estar en contra de la industria nuclear, incluyendo la planta de agua pesada de tu padre.

—¿Así que usted está a favor de la fábrica?

—En realidad, no —el señor Stones miró a un perro que estaba sentado en un asiento de una barca—. La planta necesita aún muchos más dispositivos de seguridad.

—Eso quiere decir que usted piensa igual que los que arrojaban huevos a la fábrica de mi padre.

—La verdad es que tenía intención de unirme a los manifestantes.

—¡Ahora caigo! —dijo Tom—. Ahora ya sé para qué fue usted a Monarch.

El señor Stones asintió.

156

—Yo tenía previsto ir en coche con la señorita Ashmeade hasta el lugar de la manifestación, pero, evidentemente, ella no pensaba ir conmigo. La verdad es que ella creía que yo no la vería nunca más porque, según la policía, tenía intención de cambiar de nombre cuando saliera de su escondite.

—Pero cuando nos encontramos en Monarch, usted no me dijo por qué estaba allí.

El profesor sonrió.

—Todo el mundo tiene derecho a una vida privada, Tom.

El barco comenzó a reducir su velocidad y se volvieron para mirar un yate que venía en dirección contraria. Dianne se incorporó rápidamente y lo observó desde la barandilla.

—¡Ya me parecía! Es el yate de papá.

Tom se acercó a la barandilla y vio al señor Dorchester avanzando por una pasarela que habían tendido entre los dos barcos. Tras él venían varias personas que llevaban cámaras y un equipo portátil de televisión.

Seguidamente, la gran rueda de paletas comenzó de nuevo a golpear el agua y la barcaza continuó su viaje. El señor Dorchester apareció en la cubierta superior e hizo que Dianne y Tom posaran con él para los fotógrafos. Luego, cuando las cámaras de televisión estuvieron preparadas, levantó una mano pidiendo silencio.

—Me complace anunciarles que en mi fábrica de agua pesada se van a instalar todos los dispositivos de seguridad necesarios. Además, ya he dado las órdenes oportunas para transformar la planta de White River en un proceso con celdas de diafragma, de forma que no deje escapar más mercurio.

El señor Stones aplaudió con ganas y otras personas le secundaron.

—Todas mis plantas van a instalar equipos especiales para controlar la contaminación, y las personas afectadas a causa de las Industrias Dorchester recibirán la compensación debida.

Un periodista levantó la mano.

—Esto significa un cambio completo de actitud, señor Dorchester. ¿Se debe este cambio a la prueba tan dura que ha sufrido Dianne?

El asintió.

—Eso es lo que me ha hecho recapacitar acerca de mi actitud. Si yo no hubiera sido tan intransigente y egoísta, DEMON nunca hubiera atraído a esos jóvenes idealistas.

158

—¿Significa eso el fin de grupos como DEMON?

—Esperemos que sí, aunque mi cambio de actitud es sólo un primer paso. Otras industrias deberán plantearse seriamente sus normas de funcionamiento y ver cómo son recibidas por el público. En caso contrario, seguiremos teniendo cada vez más gente descontenta.

Unos camareros avanzaban por cubierta llevando unas grandes bandejas. Al cruzar frente a las cámaras hubo, en plan de broma, gritos de enfado del personal de televisión.

—¿Para quién es el banquete?

—¡Para todos! —dijo el señor Dorchester, sonriendo al grupo—. ¡Industrias Dorchester invita!

Con gritos de entusiasmo los compañeros de clase de Dianne rodearon a los camareros, cuyas bandejas se vaciaron en unos instantes. Aparecieron otros camareros con cosas exquisitas, y pronto estuvieron saboreándolas.

Estaba tomándose Tom un batido de frambuesas cuando vio a Dietmar que se acercaba con un plato rebosante de comida.

159

—Te apuesto lo que quieras a que como más que tú, Austen.

—Vamos a verlo.

Tom terminó el batido y cogió una salchicha. En ese momento se sentó a su lado un periodista.

—Hay una cosa que me intriga —dijo—. ¿No tenía usted la menor idea de que la señorita Ashmeade fuese el jefe de DEMON?

Tom movió la cabeza y tragó un trozo de salchicha.

—Ella me despistó, pero después de nuestra visita al zoológico debería haberla descubierto.

—¿Por qué?

—Porque solamente los dos profesores sabían que yo quería comunicar a la policía la conexión de Red con DEMON. Por tanto, uno de ellos tenía que haber sido el que ordenó a Harlan que matara a Red para impedir que hablara.

—Pero podía haber sido el señor Stones.

Tom vio que Dietmar estaba masticando y tragando a una velocidad increíble y cogió rápidamente una salchicha. Sólo después de comérsela se dirigió al periodista.

—Junto a la jaula del mandril vi a la

160

señorita Ashmeade hablando con un hombre que tenía un mechón de pelo blanco. Poco después éste disparó sobre Red, así que tuvo que ser ella la que diera la orden.

Dietmar puso comida en el plato de Tom.

—Esta salchicha es especial para policías como tú —dijo Dietmar con la boca llena.

—Habla, pero no escupas —Tom probó un poco de salchicha, pero no pareció gustarle porque la apartó enseguida. Queriendo comer algo, cogió una patata frita.

—De todos modos —dijo entre dos bocados—, yo sabía que el nombre de pila del señor Stones era John, por lo que no podía ser Lee. Y no sólo eso; yo había visto las iniciales L. A. en el marcador de libros de la señorita Ashmeade.

Por primera vez notó Tom el olor de la gasolina del motor del barco. Fue un descubrimiento desagradable, sobre todo cuando empezaba a sentir ciertas náuseas producidas por el movimiento de la cubierta. Con mano poco firme cogió un trozo de pescado.

... Finalmente —dijo haciendo esfuerzos por tragar— ... finalmente... ¡uh...! finalmente, también escuché a la señorita Ashmeade decir que tenía que ir a White River «para un asunto de negocios», y yo debería haber relacionado eso con la bomba que pusieron en aquella fábrica.

Unas gotas de sudor corrieron por la frente de Tom hasta sus mejillas. Vio que Dietmar cogía con dedos temblorosos un pastel y, haciendo un gran esfuerzo, alargó también su mano. Sintió un zumbido en sus oídos y notó, con asco, que tenía ganas de devolver. Aun así, cogió un pastel.

—Un momento, señores.

Tom y Dietmar vieron un camarero que llevaba un recipiente grande, y que hacía grandes esfuerzos por abrirse paso entre los estudiantes agrupados alrededor de la mesa.

—Seguro que querrán un poco de requesón con los pasteles...

El camarero se inclinó sobre la mesa y les sirvió en sus platos unas cucharadas de espesa crema blanca. Durante un momento se quedaron mirando sus respectivos platos, y luego, lentamente, levantaron la vista para mirarse uno a otro.

Juntos, salieron corriendo hacia la barandilla.

EL BARCO DE VAPOR

SERIE NARANJA (a partir de 9 años)

1 / Otfried Preussler, Las aventuras de Vania el forzudo

2 / Hilary Ruben, Nube de noviembre

3 / Juan Muñoz Martín, Fray Perico y su borrico

4 / María Gripe, Los hijos del vidriero

5 / A. Dias de Moraes, Tonico y el secreto de estado

6 / François Sautereau, Un agujero en la alambrada

7 / Pilar Molina Llorente, El mensaje de maese Zamaor

8 / Marcelle Lerme-Walter, Los alegres viajeros

9 / Djibi Thiam, Mi hermana la pantera

10 / Hubert Monteilhet, De profesión, fantasma

11 / Hilary Ruben, Kimazi y la montaña

12 / Jan Terlouw, El tío Willibrord

13 / Juan Muñoz Martín, El pirata Garrapata

14 / Eric Wilson, Asesinato en el «Canadian Express»

16 / Eric Wilson, Terror en Winnipeg

17 / Eric Wilson, Pesadilla en Vancúver

18 / Pilar Mateos, Capitanes de plástico

19 / José Luis Olaizola, Cucho

20 / Alfredo Gómez Cerdá, Las palabras mágicas

21 / Pilar Mateos, Lucas y Lucas

22 / Willi Fährmann, El velero rojo

25 / Hilda Perera, Kike

26 / Rocío de Terán, Los mifenses

27 / Fernando Almena, Un solo de clarinete

28 / Mira Lobe, La nariz de Moritz

30 / Carlo Collodi, Pipeto, el monito rosado

31 / Ken Whitmore, ¡Saltad todos!

34 / Robert C. O'Brien, La señora Frisby y las ratas de Nimh

35 / Jean van Leeuwen, Operación rescate

37 / María Gripe, Josefina

38 / María Gripe, Hugo

39 / Cristina Alemparte, Lumbánico, el planeta cúbico

42 / Núria Albó, Tanit

43 / Pilar Mateos, La isla menguante

44 / Lucía Baquedano, Fantasmas de día

45 / Paloma Bordons, Chis y Garabís

46 / Alfredo Gómez Cerdá, Nano y Esmeralda

47 / Eveline Hasler, Un montón de nadas

48 / Mollie Hunter, El verano de la sirena

49 / José A. del Cañizo, Con la cabeza a pájaros

50 / Christine Nöstlinger, Diario secreto de Sus Diario secreto de Paul

51 / Carola Sixt, El rey pequeño y gordito

52 / José Antonio Panero, Danko, el caballo que conocía las estrellas

53 / Otfried Preussler, Los locos de Villasimplon

54 / Terry Wardle, La suma más difícil del mund

55 / Rocío de Terán, Nuevas aventuras de un m fense

57 / Alberto Avendaño, Aventuras de Sol

58 / Emili Teixidor, Cada tigre en su jungla

59 / Ursula Moray Williams, Ari

60 / Otfried Preussler, El señor Klingsor

61 / Juan Muñoz Martín, Fray Perico en la guerra

62 / Thérèsa de Chérisey, El profesor Poopsnag

63 / Enric Larreula, Brillante

64 / Elena O'Callaghan i Duch, Pequeño Roble

65 / Christine Nöstlinger, La auténtica Susi

66 / Carlos Puerto, Sombrerete y Fosfatina

67 / Alfredo Gómez Cerdá, Apareció en mi ventar

68 / Carmen Vázquez-Vigo, Un monstruo en el a mario

69 / Joan Armengué, El agujero de las cosas pe didas

70 / Jo Pestum, El pirata en el tejado

71 / Carlos Villanes Cairo, Las ballenas cautivas

72 / Carlos Puerto, Un pingüino en el desierto

73 / Jerome Fletcher, La voz perdida de Alfreda

74 / Edith Schreiber-Wicke, ¡Qué cosas!

75 / Irmelin Sandman Lilius, El unicornio

76 / Paloma Bordons, Érame una vez

77 / Llorenç Puig, El moscardón inglés

78 / James Krüss, El papagayo parlanchín

79 / Carlos Puerto, El amigo invisible

80 / Antoni Dalmases, El vizconde menguante

81 / Achim Bröger, Una tarde en la isla

82 / Mino Milani, Guillermo y la moneda de oro

83 / Fernando Lalana y José María Almárcegui, S vía y la máquina Qué

84 / Fernando Lalana y José María Almárcegui, A relio tiene un problema gordísimo

85 / Juan Muñoz Martín, Fray Perico, Calcetín y guerrillero Martín

86 / *Donatella Bindi Mondaini,* El secreto del ciprés

87 / *Dick King-Smith,* El caballero Tembleque

88 / *Hazel Townson,* Cartas peligrosas

89 / *Ulf Stark,* Una bruja en casa

90 / *Carlos Puerto,* La orquesta subterránea

91 / *Monika Seck-Agthe,* Félix, el niño feliz

92 / *Enrique Páez,* Un secuestro de película

93 / *Fernando Pulin,* El país de Kalimbún

94 / *Braulio Llamero,* El hijo del frío

95 / *Joke van Leeuwen,* El increíble viaje de Desi

96 / *Torcuato Luca de Tena,* El fabricante de sueños

97 / *Guido Quarzo,* Quien encuentra un pirata, encuentra un tesoro

98 / *Carlos Villanes Cairo,* La batalla de los árboles

99 / *Roberto Santiago,* El ladrón de mentiras

100 / *Varios,* Un barco cargado de... cuentos

101 / *Mira Lobe,* El zoo se va de viaje

102 / *M. G. Schmidt,* Un vikingo en el jardín

103 / *Fina Casalderrey,* El misterio de los hijos de Lúa

104 / *Uri Orlev,* El monstruo de la oscuridad

105 / *Santiago García Clairac,* El niño que quería ser Tintín

106 / *Joke Van Leeuwen,* Bobel quiere ser rica

107 / *Joan Manuel Gisbert,* Escenarios fantásticos

108 / *M. B. Brozon,* ¡Casi medio año!

EL BARCO DE VAPOR

SERIE ROJA (a partir de 12 años)

1 / *Alan Parker*, Charcos en el camino

2 / *María Gripe*, La hija del espantapájaros

3 / *Huguette Perol*, La jungla del oro maldito

4 / *Ivan Southall*, ¡Suelta el globo!

6 / *Jan Terlouw*, Piotr

7 / *Hester Burton*, Cinco días de agosto

8 / *Hannelore Valencak*, El tesoro del molino viejo

9 / *Hilda Perera*, Mai

10 / *Fay Sampson*, Alarma en Patterick Fell

11 / *José A. del Cañizo*, El maestro y el robot

12 / *Jan Terlouw*, El rey de Katoren

14 / *William Camus*, El fabricante de lluvia

17 / *William Camus*, Uti-Tanka, pequeño bisonte

18 / *William Camus*, Azules contra grises

20 / *Mollie Hunter*, Ha llegado un extraño

22 / *José Luis Olaizola*, Bibiana

23 / *Jack Bennett*, El viaje del «Lucky Dragon»

25 / *Geoffrey Kilner*, La vocación de Joe Burkinshaw

26 / *Víctor Carvajal*, Cuentatrapos

27 / *Bo Carpelan*, Viento salvaje de verano

28 / *Margaret J. Anderson*, El viaje de los hijos de la sombra

30 / *Bárbara Corcoran*, La hija de la mañana

31 / *Gloria Cecilia Díaz*, El valle de los cocuyos

32 / *Sandra Gordon Langford*, Pájaro rojo de Irlanda

33 / *Margaret J. Anderson*, En el círculo del tiempo

35 / *Annelies Schwarz*, Volveremos a encontrarnos

36 / *Jan Terlouw*, El precipicio

37 / *Emili Teixidor*, Renco y el tesoro

38 / *Ethel Turner*, Siete chicos australianos

39 / *Paco Martín*, Cosas de Ramón Lamote

40 / *Jesús Ballaz*, El collar del lobo

43 / *Monica Dickens*, La casa del fin del mundo

44 / *Alice Vieira*, Rosa, mi hermana Rosa

45 / *Walt Morey*, Kavik, el perro lobo

46 / *María Victoria Moreno*, Leonardo y los fontaneros

49 / *Carmen Vázquez-Vigo*, Caja de secretos

50 / *Carol Drinkwater*, La escuela encantada

51 / *Carlos-Guillermo Domínguez*, El hombre de otra galaxia

52 / *Emili Teixidor*, Renco y sus amigos

53 / *Asun Balzola*, La cazadora de Indiana Jones

54 / *Jesús M.ª Merino Agudo*, El «Celeste»

55 / *Paco Martín*, Memoria nueva de antiguos oficios

56 / *Alice Vieira*, A vueltas con mi nombre

57 / *Miguel Ángel Mendo*, Por un maldito anuncio

58 / *Peter Dickinson*, El gigante de hielo

59 / *Rodrigo Rubio*, Los sueños de Bruno

60 / *Jan Terlouw*, La carta en clave

61 / *Mira Lobe*, La novia del bandolero

62 / *Tormod Haugen*, Hasta el verano que viene

63 / *Jocelyn Moorhouse*, Los Barton

64 / *Emili Teixidor*, Un aire que mata

65 / *Lucía Baquedano*, Los bonsáis gigantes

66 / *José L. Olaizola*, El hijo del quincallero

67 / *Carlos Puerto*, El rugido de la leona

68 / *Lars Saabye Christensen*, Herman

69 / *Miguel Ángel Mendo*, Un museo siniestro

70 / *Gloria Cecilia Díaz*, El sol de los venados

71 / *Miguel Ángel Mendo*, ¡Shh... esos muertos, que se callen!

72 / *Bernardo Atxaga*, Memorias de una vaca

73 / *Janice Marriott*, Cartas a Lesley

74 / *Alice Vieira*, Los ojos de Ana Marta

75 / *Jordi Sierra i Fabra*, Las alas del sol

76 / *Enrique Páez*, Abdel

77 / *José Antonio del Cañizo*, ¡Canalla, traidor, morirás!

78 / *Teresa Durán*, Juanón de Rocacorba

79 / *Melvin Burguess*, El aullido del lobo

80 / *Michael Ende*, El ponche de los deseos

81 / *Mino Milani*, El último lobo

82 / *Paco Martín*, Dos hombres o tres

83 / *Ruth Thomas*, ¡Culpable!

84 / *Sol Nogueras*, Cristal Azul

85 / *Carlos Puerto*, Las alas de la pantera

86 / *Virginia Hamilton*, Plain City

87 / *Joan Manuel Gisbert*, La sonámbula en la Ciudad-Laberinto

88 / *Joan Manuel Gisbert*, El misterio de la mujer autómata

89 / *Alfredo Gómez Cerdá*, El negocio de papá

90 / *Paloma Bordons*, La tierra de las papas

91 / *Daniel Pennac*, ¡Increíble Kamo!

92 / *Gonzalo Moure*, Lili, Libertad

93 / *Sigrid Heuck*, El jardín del arlequín

94 / *Peter Härtling*, Con Clara somos seis

95 / *Federica de Cesco*, Melina y los delfines

96 / *Agustín Fernández Paz*, Amor de los quince años, Marilyn

97 / *Daniel Pennac*, Kamo y yo

98 / *Anne Fine*, Un toque especial

99 / *Janice Marriott*, Fuga de cerebros

100 / *Varios*, Dedos en la nuca